D1027311

LE DERNIER ÉTÉ
DES INDIENS

ROBERT LALONDE

LE DERNIER ÉTÉ
DES INDIENS

roman

ÉDITIONS DU SEUIL
27, rue Jacob, Paris VI

ISBN 2-02-006246-1

A la mémoire de Paul Lalonde,
mon père.
Et pour les Indiens, nos semblables différents.
Si semblables et si différents
qu'on ne les écoute pas.

« Les lucioles brillent dans la nuit, mais c'est pour éclairer leur âme, leur propre âme avant celle du monde, dit le proverbe. »
Simone Schwarz-Bart
Ti Jean l'horizon

« J'ai appris aussi qu'une personne pense avec sa tête au lieu de son cœur. »
Sun Chief

Je ne sais pas pourquoi mais, encore aujourd'hui et les yeux fermés, je continue de le voir. Il luit sous mes paupières, transparent, dans mon regard aveugle et toujours sa peau a cette même couleur, cette même texture bouleversantes. Le soleil n'est pas sur sa peau. L'Indien est né avec le soleil dans sa peau, comme un sang lumineux, phosphorescent. A chaque fois, je suis sûr qu'en insistant un peu, je pourrais plonger en lui, aller naviguer dans cette lumière de son sang, oui, que je pourrais baigner dans son sang, nager dans l'effervescence de sa beauté. Et, à chaque fois, mes yeux s'ouvrent avant le temps voulu. Avant que je tombe et me noie dans la rivière rouge de sa vie.

Je marche entre les pins en rangs, alignés comme des blés-d'Inde, mais tellement plus hauts, plus forts, indomptables. Le vent siffle dans la hauteur des arbres et, entre leurs branches poilues, le soleil saute. C'est encore plus loin, de l'autre côté du grand trou de sable, près de la source du vieux Dourthes. Leurs yeux brillent, leur peau luit dans l'ombre : ils m'attendent sur la butte du Bria. Ils sont déjà là, tous les trois, et ils m'attendent. Je ne peux pas m'empêcher de deviner, de prévoir leur odeur. Aussi leur aisance. Comme ce sera facile pour eux, simple, naturel. Kanak, Nicolas et Gordon. Kanak surtout. Sous mes pieds, les aiguilles de pin font un bruit de tapis, un bruit riche, moelleux, un son de nulle part ailleurs. Ma culotte frotte et me fait mal. C'est la sueur, la chaleur et aussi l'inconnu. Je ne peux pas le nommer, l'inconnu, mais je le sens cogner dans mon ventre, balancer son poids neuf, brûlant, de ma cuisse gauche à ma cuisse droite, palpiter dans toutes les veines de mon cou. Je me suis arrêté près du trou de sable, comme on fait quand on arrive au bord d'un précipice. Pas un oiseau. Pas un chant d'insecte. Juste la tranquille chanson de la brise dans les ramures, le seul silence que je connaisse. Une pensée — mais est-ce une pensée ? — émerge après s'être formée toute seule : ni prière, ni bonne résolution, ni l'effroi du vide devant moi, ni la crainte de mon père, de ma mère, de tous ceux du clan, rien ne peut m'empêcher d'y aller. De tout temps je suis en route vers ici, vers cette nuit. Depuis toujours mon imagination s'épuisait dans les recoins de la remise, je ne sais plus comment j'ai attendu. Ce soir, ensemble, tous les trois, ils sont plus forts que tout le village à genoux.

Il est là, en bas, à mes pieds, le village. Il a tout oublié, déjà. Ou il a renoncé. N'importe, le village dort. Même s'il est bien là, visible dans la clarté du soir, étalé au pied de la grande côte que j'ai grimpée comme on monte au ciel, sans me retourner, même s'il se répand ce soir, comme les autres soirs, le long des rives du grand lac, son absence, l'absence du village me surprend et, tout de suite après, elle ne me surprend plus. Ils sont assoupis, ils dorment et ils rêvent depuis si longtemps que je ne les connais pas. Ils ne vivent pas sur la même planète. Ils s'inventent puis ils s'oublient à mesure. Affalés sur leurs vérandas, ils songent au faste de la procession de demain, la procession de la Fête-Dieu. Il est huit heures du soir et c'est le plus beau temps de l'année et le village n'existe plus. Abandonné à sa bonne conscience ou à sa digestion, ce qui revient au même, le village rumine sa propre absence, béatement. Ni les lilas nouveaux, ni le fracas des grands vents d'hier, ni la rupture des glaces pourtant si violente et qui a eu lieu sous leurs yeux, dans leurs oreilles, puis leur descente lente, fascinante, tout le long de la rivière, vers le grand fleuve, ni les senteurs fraîchement éclatées : rien ne les a tirés de cette torpeur bien à eux qui sait franchir les saisons sans s'éveiller. Alors, bien sûr, l'odeur, la vision des trois Indiens, mon ascension jusqu'ici, mon printemps personnel, tout cela leur est passé sous le nez, comme il se doit.

Un de mes genoux tremble. Ce n'est pas la peur. Non, c'est la hâte. Enfin mon sexe existe et je ne cesserai plus jamais de m'en apercevoir. Depuis avant-hier. Depuis que Kanak est venu. Sur son torse, rien d'autre que son pelage de tous les jours mais, pour moi, une révélation. Ses cheveux plus que noirs brillaient dans la lumière de la nuit. Et, dans mon lit, sous la tente des draps, concentré, essayant d'échapper à l'obsession de sa venue, comme un péché plus grave que tous mes véniels désirs, je le voyais et déjà mon émotion de lui venait au monde. Alors, je suis descendu dans le jardin de grand-père, son potager en friche, qu'on n'a pas ensemencé cette année, vu sa mort trop proche. Je suis sorti par la fenêtre de ma chambre qui donne sur le lac et dans le halo de la lune il y avait cet appel, ce cri doux, cette conscience du rêve qui n'en est pas un. Inutile de vouloir ne pas y aller. Inutile d'avoir peur, d'avoir mal. Inutile de résister. Il était là, debout au cœur de la talle de mûriers, inévitable, entêté à me sortir du songe.

Jamais on ne m'avait vraiment touché. Lui, il m'a pris par le cou, tout de suite, sans un mot. Ses dents luisaient et je les voyais jusqu'au fond de sa bouche. Je l'ai suivi jusqu'au bord du lac, jusque chez Pit Lafleur. Il est entré dans l'eau jusqu'aux cuisses.

— *Come on ! Come on !*

Il ne parle pas ma langue. Depuis que le curé les a chassés de l'église à cause de leur beau tapage à la messe, les Indiens se sont faits protestants. Ils ont choisi l'anglais. Les Anglais ont des églises où il est permis de chanter, de laisser son trop-plein exulter. Mais comme grand-père m'a enseigné l'anglais, en cachette, je les comprends. Je les comprendrais sans mots. Sans verbes ni compléments. Ils sont tellement clairs, les Indiens.

Il m'a tiré. Il m'a tenu contre lui. Savait-il alors qu'il allait changer toute ma vie avec ses deux longs bras souples, ses dents violentes, avec sa senteur d'animal libre ? Toute ma petite vie de petit catholique pâteux, exaspéré, tranquille ? Savait-il que j'étais celui qui attendait, qui depuis toujours attendait ? Il me plongeait puis il me ressortait de l'eau, il s'amusait avec moi et je voulais tout cela et j'avais peur de tout cela, son grand corps brun, mon petit corps blanc et son rire qui fusait sans limites. Et ses mains trop nouvelles qui m'inventaient un mystère indéchiffrable sur la peau.

Dans ses yeux, les deux prunelles sont si noires que ce fut l'abîme, comme ce soir au bord du grand trou de sable. Noire, noire et profonde, chacune de ses prunelles me forçait à je ne sais quel consentement. Le temps de croire serait-il enfin arrivé ? Avant, c'était le temps d'espérer, le temps de souffrir du manque d'essentiel, le temps de presque s'assécher, le temps de soupirer après rien, la parodie de la vérité, les rituels sans goût. Aujourd'hui, foulant le cadavre d'hier, aujourd'hui naîtrait-il ?

— Demain, toi venir au Bria. *At night. For my sake !*

Puis Kanak a ri très fort. Il ne m'a pas laissé tomber dans l'eau, il m'a glissé dans le courant avec ses grands gestes sans pesanteur. Il m'a immergé, le temps d'avoir peur à nouveau, le temps de redevenir ce que j'étais, peureux, méfiant, puis il m'a fait rejaillir de l'eau, puis replongé jusqu'à ce que le sable et les algues ne soient plus sur mon corps à l'empêcher d'être lisse et brillant comme le sien.

« *For my sake !* » Je n'ai jamais entendu ces mots-là encore. Je prends mon souffle. J'essaie de reprendre mon souffle. Je l'arrache au vent. Je me bats contre cette chaleur double : celle de l'air et leur chaleur à eux, anticipée, la chaleur des trois Indiens. Je sais qu'ils sont là, derrière la butte de pins, et qu'entre eux, parmi eux, le soleil achève de couler sa sève mauve. Ils seront nus sans doute, préparés, huilés de leur sueur dont l'odeur... Oui, c'est déjà commencé de l'autre côté de la butte du Bria.

Je vois le chaland qui traverse le lac. Il est minuscule, vu d'ici. Chargé de ses trois voitures habituelles. Et voilà que j'imagine une dérive vers les plages de la grande baie. Un dérèglement fantastique, comme dans les histoires de grand-père. L'Indien-capitaine qui traîne sa cargaison d'endormis jusqu'aux trois pins, rien que pour le plaisir de les voir gesticuler, ahuris comme ils sont, criant et vociférant comme des enragés. J'imagine, parce que ça n'arrive jamais ces beaux moments de justice et de folie. Je suis très bon pour imaginer, moi. Il faut bien puisque rien n'arrive. Puisque le meilleur comme le pire demeure toujours caché, épouvantable et muet. Puisqu'il faut travailler, manger et dormir, aller à l'église et enterrer les morts qui n'ont pas vécu.

Les vagues sont à peine des frissons sur l'eau. Cette chaleur et la veine de mon cou qui se boursoufle, oui, tout est comme dans mon attente, du temps que j'imaginais, justement.

Tu es venu pour le changement, l'Indien, mais tu n'es pas le changement. Tu n'es pas incarné. Pas encore. Tu es imaginé. Seulement imaginé. Grand-père, quand pour la première fois tu as connu sur sa peau la sauvagesse, ma grand-mère, est-ce que l'été bouillait dans ton sang, comme il bout dans le mien ce soir ? Est-ce que du feu circulait dans ton corps, comme une soûlerie ? Grand-père, pourquoi es-tu parti avant de me confier ces ensorcellements-là ?

Le vent est tombé d'un coup. Il est venu se réfugier dans ma poitrine. Une tempête brève malmène ma respiration. J'hésite au bord du précipice de sable. Me laisser basculer dans la côte ? Qu'on me retrouve brisé, sablé de blanc, parfaitement méconnaissable mais surtout arrêté, empêché d'aller vers les Indiens, vers cette fête païenne, fête de muscles et d'épidermes, fête maudite en plein crépuscule du vingt-deux juin, veille de la Fête-Dieu !

Le fond du ciel rougeoie, noircit. Il se triture de lignes incompréhensibles, de couleurs neuves, saisissantes. J'y vais. D'abord escalader la côte en me tenant solidement aux pousses nouvelles des joncs, résistantes comme des racines. Grand-père, tu te souviens, tu m'en faisais des flûtes, des pipes, des colliers. Je glisse et je tombe et mes déraillements me rassurent. Je suis sur la terre et mon escalade est réelle. Et mon souffle brisé est vrai lui aussi. C'est enfin l'été et la fin de l'école. Ce ne doit être que cela, cet énervement. A moins que ce ne soit l'amer des senteurs d'herbes qui poussent, qui soulèvent la terre, si fortes ? Ou l'ébriété de la sève dans chaque arbre, chaque branche ? Tout semble crier : je ne saurai plus jamais m'arrêter ! « *For my sake !* » Son rire, ses dents, les oiseaux blancs dans sa bouche mouillée et sa grande main parcourant ma nuque, mon dos, sa main qui ne s'est pas arrêtée, comme celle de mon père, mais qui est descendue jusqu'aux genoux en passant par mon sexe, le tendre de mes cuisses, ma raie vierge qui s'est crispée, puis détendue, puis recrispée à nouveau ! Ce grand rythme neuf, alternativement tiède et brûlant !

Il va faire noir. A la maison, ceux du clan diront : il est encore à fouiner dans le bois, à chercher ses maudits trèfles à quatre feuilles. Et leur énervement à eux s'arrêtera là. Je n'entendrai même pas ma mère crier mon nom dans l'écho du bord de l'eau. Ni mon père qui prendra sa voix de jubé pour m'avertir des dangers que je cours. Ils ne connaissent pas les dangers que je cours cette nuit, comme autant de lièvres à la fois. Cette nuit, dans ma forêt, mes trèfles n'auront pas quatre, mais mille, cent mille feuilles. Cette nuit, je serai avec eux. Dans l'éblouissement noir et rouge de leur peau, mêlé à leurs jeux gratuits, libres, féroces, tendres, perdu enfin parmi la vérité tant et tant imaginée. *« For my sake »* a dit le grand Indien. Et je grimpe et je monte et j'arrive !

Essoufflé, en même temps que la brunante, je suis enfin parvenu en haut de la butte du Bria. Ça sent fort et bon. D'abord la résine de pin. Sans doute un arbre entamé par un couteau d'hiver. Un couteau de blanc. C'est ici. C'est bien ici, j'en suis sûr, mais ils ne sont pas visibles les trois Indiens. J'ai rêvé ça. Je n'ai fait que le rêver. Pourtant, les joncs sont tapés, couchés comme par un poids d'hommes. Ils y étaient mais ils sont partis. Trop tard.

17

Brusquement, derrière les buissons de pins, ça remue. Un rire : le sien ! En tournant la tête du bon côté, vision savoureuse, il est là. Soudain il se dresse, nu, et se met à faire des simagrées en criant comme un perdu. Puis son regard me fixe. Il sourit et l'envoûtement commence.

Nicolas et Gordon sortent de leur cachette et viennent m'entourer comme pour une cérémonie. Si j'ai vécu jusqu'ici, c'est pour cette soudaine absence de doute, pour enfin cesser de tout imaginer. Père, mère, fonts baptismaux, bancs d'école : tout aura été irréel. Tout, avant, était flou, impossible comme la vie avant la naissance, dans les limbes d'un ventre gonflé. Je me laisse faire. C'est à peine si je tremble comme les feuilles qui, elles aussi, sont en train de naître. Je meurs à mon ancienne vie, tout me revient : l'absence, l'attente, les images fugitives. Tout ce qui fut mon grouillement fœtal, ma vie, ma survie.

Kanak s'approche de moi. Son odeur le précède, mêlée à la résine : une odeur vraie, à sa vraie place. Ses dents s'allument, permettant à son rire de couler au lieu de briser l'air. Ne rien perdre, ne rien laisser passer de cette délivrance, de cette première fois ! Je suis initié. Je ne m'abandonne pas, au contraire, je consens. Je veux, je veux, je veux. Nicolas et Gordon m'enlèvent mes vieux vêtements souillés de sueur acide, la sueur de mes vieilles imaginations. Nuit, ô nuit, reste ! Ne m'évanouis pas, continue-moi, tiens-moi la main, l'âme, souffle dans mon souffle ! Comme ils rient franc les trois Indiens et comme leur rire m'aide à m'ouvrir, à mouiller, à naître. J'accepte leurs sexes si gros, si durs. Je suis le centre d'une fête d'arbres souples qui m'enserrent, m'assaillent et me libèrent. A genoux, Kanak, le plus fort et le plus tendre, le plus proche du cheval et de la forêt, de la violence et de la tendresse des tiges, Kanak saisit ma tête entre ses mains et la guide vers son sexe dressé, mouillé, préparé. Kanak, regarde-moi ! Que tes yeux me déprennent du piège de l'absence ! Si ton regard m'évite, je ne sortirai pas vivant de ce fleuve de feu. Regarde-moi, parce que sans la clarté de tes prunelles, je peux mourir, manquer le beau bateau, périr ! Sans savoir ni comment, ni pourquoi, ma queue est debout. Ou plutôt, oui, en sachant tout le comment et tout le pourquoi qu'il faut. C'est donc cela que, plus tard, j'appellerai jouir et que je chercherai à reconnaître dans chaque secousse ? Cet abandon où on n'abandonne rien, où tout coule, tout court, où tout semble aller vers quelque chose avec une fougue, comme un mors-aux-dents ? Le reposoir de la Fête-Dieu, demain, ne saura plus m'éblouir. Les anges filles et les anges garçons, tous et toutes de la petite école, déguisés en séraphins lanceurs de pétales de fleurs, si vous saviez comment il est, le véritable Saint-Sacrement et comme il transfigure ! Mais je dis des choses mauvaises, méchantes, Kanak, et vous riez et je ris ! C'est effrayant : je suis vivant !

Papa, maman, vous tous du clan, je m'excuse de

cette naissance à l'écart de vous, hors de vos tourments, cette naissance pour moi tout seul. Oui, je suis né, cette nuit, avec eux, en eux, parmi leur innocence. Je n'ai rien fait de mal. Je ne vois pas, je ne sens pas encore le mal. Tout ce qui vit est transperçant. Pourquoi alors m'avoir fait croire au fétide des rosaires, à la paresse des grand-messes, au mièvre, au mou ? Je sais maintenant que tout ce qui arrive pour vrai arrive avec élan, avec force, avec les dents, avec la peau, avec l'air du soir, rouge, chaud, avec la nuit ! Je les vois, je les touche, j'ai encore le frisson, même après les secousses douloureuses, puis moins douloureuses, puis transportantes. Je n'ai pas perdu connaissance. Je suis en pleine connaissance, enfin, sans livres ni neuvaines, sans peur, sans mal. Je suis au monde, dépucelé, neuf.

Demain, vous fêterez votre Dieu d'or sans moi. Je serai dorénavant dans la forêt aux trèfles éternels. Amen.

Je les regarde passer. Je ne m'en mêle pas. Tout le village psalmodie. L'ostensoir en or est en tête, suivi des enfants de Marie, puis viennent les enfants de chœur et tous les autres derrière, comme un long serpent paresseux et qui se lamente. Leurs chants tièdes et leurs étendards décolorés : une bien triste procession. Seuls les Indiens n'y sont pas. Ils sont sur le quai à taquiner le doré. Je serais bien avec eux mais le clan m'oblige à assister à cette cérémonie sans couleurs. Oui, je suis avec eux maintenant.

Sur la véranda des Lauzon, nos voisins, le reposoir est monté. Leur vieille galerie est tapissée de fausses fleurs et des croix enguirlandées grimpent jusqu'aux fenêtres du grenier. Le grand Messier, Marc Saint-Onge, même le fou à Gilles Dufresne, ils sont tous travestis en archanges boiteux, un panier de pétales de narcisses dans le coude du bras, comme une sacoche de dame patronnesse. Je rirais bien mais je risque l'excommunication et ce serait compliqué.

Les voilà. Ils débouchent de la grande rue et lentement, si lentement, ils approchent. Je vais m'endormir avant la grande finale avec tous les *oremus* et le sermon du vieux curé sur la soumission à la grâce de Dieu pour que les bienfaits du ciel descendent sur nos champs et potagers.

Moi, hier, à l'insu du clan et de la paroisse entière, j'ai tant fêté que je n'ai plus de goût aujourd'hui pour les simagrées de la parade.

— A genoux, Michel !

En plus, il faut saluer à genoux le grand poteau flamboyant que tient le curé en chambranlant.

Si je fus à genoux, hier soir, ce fut pour la seule communion, l'unique communion, la vraie communion. Et mon secret vaut d'ores et déjà beaucoup plus cher que tous les Saint-Sacrements du monde, si bien montés et encerclés d'or soient-ils !

Oh, cette impression à la fois violente et insaisissable, nouvelle ! Je suis tout seul dans mon orbite. Je suis tout seul parmi les autres, malgré les autres. Seul avec le sable, le bord de l'eau, les nénuphars, les senteurs d'algues et de poisson. Seul dans l'univers, dans la galaxie de mon enfance dépareillée, prisonnier d'un bonheur trop soudain, criblé de signes étranges. Je suis seul aux confins escarpés d'un monde qui s'achève sans qu'un autre commence. Et je fais comme si de rien n'était. J'aide mon père. J'invente avec lui l'été coutumier : la chaloupe, les pique-niques, les foins, l'absence de changement. L'été comme l'été dernier, comme l'été prochain. Cependant qu'au fond de moi un éclatement continue de me déchirer. Au centre, au cœur, je suis différent. La nuit du Bria y est, chaude, résonnante, irréversible.

— Tire pas ! Pousse ! Pousse !

Oui, oui, pousser ! Surtout ne rien perdre de l'apparence, laisser ma surface intacte, ne pas entamer l'habitude rassurante. Faire semblant, donc. Je regarde mes pieds dans l'eau. Ils sont verts et ils jouent avec le sable, à l'aise, indépendants, libres. Moi, c'est avec des images féroces que je joue, que je lutte. Dans ma tête, tout a lieu ailleurs et autrement qu'ici, au bord du lac, dans la réalité de ce premier jour de juillet, premier jour d'été où la lumière gicle, bondit dans l'air. Ma grande révolution n'a pas renversé l'ordre des choses, la place des choses, le sens des choses. Rien n'indique que je ne suis plus le même. L'été des Indiens, le vrai, ce fut l'autre nuit, la nuit précédant cet été, leur été à eux. Oui, ce fut cette nuit-là, sur la butte du Bria, et cette impossible saison continue de brûler mais dans le souvenir, dans le souvenir seulement.

Maintenant commence pour moi le magique et précaire équilibre entre la vraie vie et leur jour-le-jour. Et comment vit-on ainsi, perdu entre l'absolu rouge de l'Indien et les vicissitudes blanches du clan ?

Appuyé contre le grand saule, je fixe le vide, ou l'eau, ou le dos de mon père. En tout cas, je me suis absenté. Un songe, que je ne connais pas encore, a commencé de m'habiter. Mes yeux sont brûlants. Trop de nuits déjà sans dormir, à refaire puis défaire puis recommencer encore l'Indien. Je ne sais pas d'où viennent ces larmes piquantes, salées, et qui se mettent à couler n'importe quand, n'importe comment. Je ne comprends plus rien. Je ne comprends pas ma vie soudainement morcelée et j'assiste au spectacle tiède de mes larmes et je marche dans l'eau et j'obéis à mon père et plus rien n'est pareil et pourtant rien n'est encore vraiment changé. Le petit vent sèche mes pleurs mais ne m'en débarrasse pas. J'ai beau savoir que tout est modifié depuis l'autre nuit, j'ai beau le savoir de toutes mes forces, je n'arrive pas encore à m'en apercevoir assez pour crier, sauter, y croire. Une douleur reste captive quelque part. Mon corps est pris en pain et je n'ai plus le cœur à rien ni à autre chose. J'entends la bécasse jaser dans le marais. Son chant ruisselle dans l'air. La bécasse a la chance immense de ne pas avoir de tête sur ses épaules. La mélancolie de l'impossible ne l'atteint pas. Pour elle, rien n'est figé. Pour elle, le bord de l'eau vit, suinte ses odeurs, le lac existe tout seul, sans étrangeté. Au milieu de toutes les tiges, la vie vibre, la vie monte et descend, la vie est innocente et sauvage. Bouger ! Oui, grouiller ! Une décharge électrique flambe ma cervelle et mes muscles s'étirent. Je cours à toutes jambes dans le sable boueux, parmi les joncs et tant d'oiseaux s'envolent devant moi que mon cœur s'allège dans cet excès. Un bruit fou, des ailes par centaines fracassent l'air. Il nous poursuit, lui qui depuis toujours est tendre et tranquille avec nous, lui qui marche avec précaution parmi nos nids. Qu'est-ce qu'il a ? Quelle abeille, quel soudain désespoir l'a piqué ?

Un, deux, trois galets dans le creux de ma paume. Je désire batailler, faire mal, briser la surface trop calme de l'eau. Et si celui-ci fait plus de six bonds, peut-être alors que je le reverrai, le grand Indien ? Lui et les deux autres. Mes trois rois mages. Les trois sorciers de ma naissance.

S'il faut que ce ne soit qu'un rêve de commencement d'été, je me noierai lentement au bout du quai. Demain. Ou après demain.

Comme un renard, un remords était-il tapi dans l'ombre du Bria, cette fameuse nuit ? Qu'est-ce qui fait que l'âme passe de gauche à droite ? Qu'est-ce qui fait venir la mort, comme une rôdeuse, tout de suite après que la vie est apparue ? Je pense. Ou je réfléchis. A moins que j'imagine, je ne le sais plus. Je suis assis dans une des belles chaises blanches de grand-père avec son dossier comme un soleil qui se couche. Je suis assis dans le coude sud-est de la grande véranda et je regarde le ciel qui est rose et gris, qui est à son plus beau, à son plus douloureux. C'est l'apaisement apparent d'un soir sans heurts, sans dangers, sans menace, sans joie non plus. La brume monte du lac qui s'est fait miroir pour mieux prendre le ciel avec lui. Je ne sais rien. Je ne connais rien. Et pourtant je possède beaucoup. Je possède l'espoir et le désir. Je possède une grande joie et un grand malheur, tous les deux nés le même soir. Je possède un monde qui n'en finit pas de désirer venir au monde. Il me semble le voir monter dans l'air, se dessiner en volutes furieuses au-dessus de la grande baie. Oui, un monde qui ne serait qu'à moi et qui n'en souffrirait pas ! Pourquoi donc est-ce que je galope constamment sur moi-même dans un enclos si petit que je perds le souffle sans pouvoir m'arrêter comme un poney malade, fou ? Y a-t-il vraiment une route, un sentier ? Y a-t-il une réalité à connaître puis à suivre, toute tracée, et une seule ? Pourquoi ce qui existait avant moi doit-il peser, oppresser et non soutenir, propulser ? Pourquoi ma tendresse baigne-t-elle dans le confus d'un rêve, dans l'abattement mou du clan, dans l'attente, toujours sur le point de se lever et de chanter et toujours muette et recroquevillée ? Et surtout, pourquoi continuent-ils à me voir chandelle, lampion et non torche, feu de grève, puisque je suis tant allumé, que je me consume tout entier ? Comment ne voient-ils pas l'impossibilité irréversible pour moi de rester fidèle à la brunante permanente, oiseuse, déprimante comme une brume, la brunante de leurs soirs d'été sans ardeur, sans rien ?

Je n'ai pas bougé mais, en moi, comme un spasme, quelque chose a frémi. En moi, un envol d'oiseaux, couleur presque nuit, frôle une falaise. A la belle épouvante, ça m'échappe, ça me fuit. Ça va rejoindre les spirales mauves de la brume, du couchant. Il faut bien que ça aille quelque part, sinon c'est la folie. Celle du grand Harvey, par exemple, qui montre son pataclan à tout venant et qu'ils sont obligés d'enfermer dans la grange. Ou bien celle de Ti-Ronge Lauzon qui cogne de la tête contre les calorifères de l'école en écumant de la bouche, en qui le démon a élu sanctuaire. La folie, la vraie, commencerait-elle ? Serait-ce elle déjà qui me fait pencher la tête ? Ce serait elle, ce drôle de geste inhabituel, abandonné, dangereux, ce geste de ma main sur mon sexe ?

— Viens te coucher ! Tu vas t'arracher les yeux à lire de même à noirceur !

En moi s'échafaude toute une autre histoire que celle du livre. Et puis ce n'est pas un livre que j'ai sur les genoux. C'est la brochure qu'ils ont reçue aujourd'hui et sur la première page de laquelle il est écrit :

« Séminaire de Saint-Sulpice
in fides et caritas. »

Sur un cheval noir, lui devant et moi derrière et le grand vent sur nous comme une voile immensément gonflée ! C'est la nuit, il vente sur le lac, sur la maison, et je rêve. Un de ces rêves qui ont — je le lirai plus tard, quelque part — la même étoffe que la vie. Un de ces rêves plus clair qu'elle. Dans le rêve, la sueur de mes aisselles a la même âcreté bouleversante que celle du grand Indien. Je deviens lui. Je me transformerai lentement en senteur et en force de forêt. Je serai comme lui, rutilant de joie noire, braisé et sans être miraculé d'aucune manière. Kanak se penche sur moi. Il est si proche de mon visage, l'Indien, que je ne vois pas le sien. Arbres et rivières le suivent, coulent avec lui. Ça déboule, ça ruisselle sur moi et le même grand abîme s'entrouvre, le grand trou de sable du Bria. Noir. C'est la peau du grand Indien qui vient draper le songe, comme un rideau.

— Viens jouer !

— Jouer ?

— Suis-nous !

Ce sont les grenouilles qui appellent. Leur gorge gonflée est deux fois grosse comme leur tête. Mille gorges dans lesquelles mille cœurs palpitent si fort qu'on dirait qu'elles m'exhortent, me supplient. Il a fait tempête dans la nuit, alors le vent a charrié des herbes. De la vieille mousse écume ce matin à la saillie des vagues brouillées. J'ai beaucoup de mal à suivre les grandes grenouilles. Faut dire qu'elles s'amusent à me perdre, à me semer dans le marais. Dans la boue, leurs sauts font des remous intrigants. Je m'enfonce, je lutte avec les algues. Le clapotis vert-de-gris du marécage contient tant de mystères ! Les grenouilles se trouvent partout sauf là où je les cherche, en soulevant une branche ou une roche. J'avance comme dans un sable mouvant. Je vais m'enliser. On ne me retrouvera que dans cent ans, sous les couches du temps. Loin du cimetière, loin de la simplicité des cendres superposées de tous ceux du clan, les anciens et les nouveaux, dormira sous l'eau, au creux d'une talle de joncs, le petit garçon fou qui a sombré dans le remous d'un matin de lendemain d'orage et qui s'est fait méduse pour la survivance.

Gulp-gulp ! Mais où vont-elles ? Elles cherchent à m'entraîner vers la petite rivière aux serpents. Nazaire y est à pêcher depuis l'aube. Beau matin, mauvais matin, Nazaire pêche. A chaque lever du soleil sa silhouette dessine le même spectre noir filant sur l'eau rose. J'aperçois déjà sa chaloupe amarrée au pic qu'il a planté dans la vase. Nazaire siffle doucement. Dans son long visage tordu, soudain un air de fête, un répit de drames, un reposoir. Nazaire n'est heureux que le matin, entre cinq et sept heures, seul sur la rivière, avec son petit blanc, sa ligne dormante et la pâleur tranquille de l'aurore. A l'abri du vent, dans le détour le plus calme de la rivière, au couvert des saules, sa chaloupe est un château sans donjon. S'il me voit, je suis sûr qu'il redeviendra sévère, bilieux, méchant. Les enfants lui font mal quelque part et il se venge. Je le sais. J'ai été payé pour le savoir. Une fois, il m'a tiré dans les fesses toute une décharge de gros sel avec son douze à deux coups. Une semaine sans pouvoir m'asseoir, mon cul rongé, rougi et tout ça pour un bien petit mauvais coup.

Les grenouilles se sont tues. Même elles, Nazaire les impressionne. Si au moins ça mordait, je comprendrais son sourire en coin, sa félicité étrange. Mais sa ligne est morte et pourtant Nazaire a la bouche fendue jusqu'au poil de ses oreilles. Sans doute son bonheur est-il cosmique et s'accorde-t-il mal avec le malheur quotidien ? C'est curieux : sans trop savoir ni comprendre, je lui ressemble. Pas tellement maintenant, mais plus tard, plus loin, je lui ressemble. J'ai en commun avec Nazaire l'absence et le surpeuplement. L'espace et l'empêchement. La fatalité d'ici et le goût d'ailleurs. L'oisiveté et les choses à faire. Le même tiraillement nous tiraille mais à des années de distance. Étrange. Nazaire est fécond de toutes sortes de sortilèges qui datent de son très jeune temps. Du temps où il poursuivait les mêmes grenouilles que moi, ici, dans la même écume boueuse du même marais, il y a un siècle et demi. Est-ce que j'aurai moi aussi, dans un siècle et demi, ce visage aigre sur lequel tout s'est accumulé sans s'épanouir ? Dans la face du grand Indien, aucune misère n'a creusé son sillon. Sur son beau visage, aucune agonie n'a tracé sa prophétie encore. Il rayonne, le grand Iroquois. Il a tant de saisons pourtant. Tant de pluies, de neiges, de bourrasques successives sont venues le sculpter, femelles des quatre vents fondant sur lui comme des ouragans, pour l'achever lisse et huilé comme la falaise de la baie où glissent les belettes et rouge comme elle. Le temps n'entrave aucune de ses foulées. Le jour-le-jour ne défigure aucun de ses gestes souples, aérés, si émouvants.

Grand-père, qu'est-ce que c'est que le temps ? Sur le cadran de la grande horloge du grenier, derrière ta chaise de mort, qu'est-il écrit et pour toujours ? Que puis-je faire pour comprendre soixante-dix-huit années après lesquelles tu ne fus plus là pour m'éclaircir la cervelle ? Grand-père, qu'est-ce que ça veut dire tout ça ? La face ambiguë de Nazaire dans la clarté du matin, le silence brusque des grenouilles, l'obsession du grand sauvage ? Pourquoi un songe loge-t-il en moi qui me donne des spasmes, qui me fait trépigner comme mon chien Pinceau qui gémit et se convulse sur le plancher de la remise quand il rêve de lièvres ou de pièges ? Qu'est-ce qui se débat en dedans de moi et qui ne sait s'accorder qu'avec la tempête, les beaux cataclysmes naturels et la force du grand Indien ?

Je plonge. Sous l'eau, j'ouvre les yeux. Il est peut-être embrouillé mais il est mouvant, le fond de la rivière. Au moins, sous l'eau, tout bouge comme il se doit. Tout est pliant, docile, obéissant. Elles sont là, les grenouilles. Moqueuses, sérieuses, flottant parmi les algues. Elles ne se cachaient pas. Elles attendaient que je me mouille. Pour découvrir, pour la tendresse de découvrir et de toucher, je me mouille et je me mouillerai. Tout à gagner et rien à perdre. Et même si je ne réussis qu'à les frôler de mes mains, les grenouilles, même si elles s'enfuient devant moi comme des libellules, je les aime. Leur sauvagerie m'éclabousse, m'excite, m'ensorcèle.

Quand le souffle vient à manquer, il faut se donner une grande poussée du pied et, en atteignant la surface, ne pas respirer trop brusquement. C'est encore lui qui m'a appris ça, l'Indien.

Aujourd'hui j'ai toute la vie devant moi et la vie ne me dit rien. Je suis dans la remise. Les sensations montent-elles de la terre ou fusent-elles de mon corps ? Une torpeur embrouille la journée. Ma main, mécaniquement et sans réussir à lui donner vie tout à fait, ma main taquine mon sexe. En souvenir. Pour que ne s'oublie pas le grand enthousiasme, l'éclosion récente. Pour que ce ne soit plus jamais pareil. Pour éviter l'asphyxie, le sommeil, l'absence. Par un petit jour, entre les lattes du mur, j'épie les ombres dans le jardin. Mes frères fouillent la terre avec des bêches pour trouver des vers. C'est facile : il a plu, donc ils affleurent, ils viennent boire dans l'herbe. Ceux du clan m'ont encore une fois oublié. On m'oublie si facilement. Rien ni personne ne compte dans l'étale floraison des semaines. L'humidité gagne mes os et m'engourdit la cervelle. Les cabanes de grand-père sont alignées sur l'établi : mortes en chemin, inachevées. Celles qu'il n'a pas eu le temps de peinturer, celles qui n'ont pas de toit, pas encore de cheminée. Toutes ses belles petites maisons, petites granges. Ce qu'il n'a pas pu finir et qui traîne dans la remise, pêle-mêle, obsédant. Toutes ces choses inventées par lui et dont la magie se retire de jour en jour. En lambeau, le temps fuit de partout, le temps meurt. Et ce temps mort ne célèbre plus rien, ne signifie plus rien. Et moi ? Je suis, moi aussi, une île épargnée lors d'un engloutissement, comme chaque île ? Je suis une jeune pousse et je grandis dans le désert aride du clan, parmi les tiges sèches des anciens et je continue d'imaginer, de concevoir. Je conçois une communion possible, aisée, sans mystère ni superstition. Je conçois une simplicité originelle et qui ne semble plus avoir sa place parmi nous depuis belle lurette et surtout depuis la mort de grand-père. Je conçois le culte à rendre à une certaine beauté qui n'a rien d'auréolé, du moins dans le sens des sacristies moisies. Je conçois beaucoup de caresses en sachant qu'elles seraient le miroir fidèle de ma pureté. Et j'existe dans mes conceptions ébauchées, naïves, éprises de tendresse et de passion. Je conçois aussi des désirs. Un désir surtout et qui ne veut plus me quitter : le désir de flamber avec lui et pour lui. Tout le reste perd connaissance et s'ensevelit à mesure. D'où me vient la fécondité de tant imaginer, de tant vouloir ?

— Michel !

Au cri de ma mère, je sors de ma cachette.

— Ousque t'étais donc toé ?

Une réponse ne répondrait de rien. Plutôt empoigner la bêche que mon frère muet me tend avec le petit vaisseau. Plutôt faire comme si l'essentiel, le principal de la vie s'était réfugié dans les replis de la terre mouillée, et creuser, creuser dans les mottes grasses du jardin, trouver les vers grouillants, les arracher à la terre et sans lambiner. Chez ceux du clan, l'énervement remplace l'ardeur, je n'y peux rien.

— A force d'être tout l'temps dans lune de même, tu vas finir par te pardre pour de vrai une bonne fois, mon gars !

Son gars ? Lui appartenir ? Appartenir à mon père, à un du clan ? Il me vient soudain une idée, forte, effervescente : appartenir plutôt à l'Indien, de tous mes manques, de tous mes élans, de toute ma fragilité ! Étrange : je n'ai déjà plus de parents ! Cette malfaisance est due, grand-père, à ta brièveté parmi nous. Il n'y avait qu'avec toi, doucement, de jour en jour, que les choses s'énuméraient, que les choses prenaient un sens, une forme. Il n'y avait qu'avec toi que la vie supportait au lieu de se laisser supporter. Pourquoi es-tu parti avant le temps voulu, grand-père ? Et où dérives-tu maintenant ? Dans quelle partie du ciel ? Est-ce toi, cette étoile neuve au-dessus de la pointe de la baie, qui ne scintille pas, qui fixe son attention sur moi tout à coup ?

Je vis dans un petit village. Les dissimulations y sont des crimes. Des outrages communs, courants pourtant. Le moindre geste est épié, connu, reconnu et en même temps diapré, irisé de mystère. La vie est à craindre et à tromper. Puisque chaque trahison vient à se savoir, chaque mouvement spontané, franc, est gêné dans son élan et, donc, impossible à libérer. Le temps est au devoir et à l'hypocrisie. Chaque désir s'interprète aussitôt et chaque joie se paye.

Les Indiens, eux, vivent plus loin. En fait, collés à nous mais en haut de la côte, loin, en eux-mêmes, dans leurs propres tragédies et leurs propres résurrections. Dans leurs cabanes délabrées surtout. Donc, ailleurs. Repoussés au-delà des limites de l'ancienne piste de sang, dans la grande savane, la réserve.

Moi et les miens, nous sommes le village catholique et immaculé, fier de ses maisons propres, repu d'indulgences, déchiré d'ignorance, gorgé d'inquiétudes bilieuses. Ce qu'il vaudrait la peine de tenter, parce qu'il n'est jamais trop tard, personne ne le tente. Tous et chacun ploient, fléchissent, abandonnent sous le poids des certitudes et des interdits. On se satisfait d'un surmenage exaucé d'avance.

Je ne peux pas être heureux puisque ce que j'apprends à l'école et à l'église, à la maison, aux champs, c'est qu'une vie meilleure, le paradis, ne sera possible que lorsqu'on m'aura enfoui dans la terre après les prières et quelques pleurs insoutenables. Qu'est-ce que la vie alors ? Une petite ombre qui court, essoufflée, dans l'herbe, et qui se perd au couchant ?

Nous sommes le douze juillet 1959, quelque part dans le nord du Québec qui entre, paraît-il, quelque chose comme sept fois dans la France bien-aimée. Il y a exactement quarante jours aujourd'hui que mon grand-père est mort. J'en suis sûr parce que c'est à moi qu'il a demandé de lui fermer les yeux pour de bon.

Dans huit semaines précisément, j'entrerai pensionnaire au petit séminaire. Comme le clan en a décidé.

Pinceau joue avec un vieux poisson mort. Un crapet épineux, gonflé et décoloré que la tempête a échoué sur la grève. Je suis heureux aujourd'hui, des orteils aux cheveux, parce que l'Indien est avec moi. Le lac est brillant mais l'Indien, lui, étincelle.

Je te regarde et tout semble obéir à une loi. Tu es clair comme le jour. On n'a pas besoin de te fouiller, de te débroussailler, l'Indien, pour te connaître. Tu portes toutes tes fleurs et tous tes fruits sur toi. Tu es mille fois plus éblouissant qu'une grand-messe chantée en grégorien des grandes fêtes. Diamanté par ces rayons que tu lances dans toutes les directions, je crépite moi aussi comme un feu qui s'allume. Quelle joie de t'apercevoir dans la splendeur de ton air d'aller, de jouer avec toi le plus beau jeu du monde : le jeu de l'innocence.

L'Indien bondit sur la plage. Il pousse des petits cris, des exorcismes tranquilles. Il y a autant de tendresse que de muscles dans ses bonds. De plaisir. Ce serait donc ça, le plaisir ? La tendresse et les muscles mêlés, ensemble, se liant et se déliant ?

Kanak saute dans la chaloupe et Pinceau le suit. Moi, j'hésite au bout du quai.

— *Pea soup ! Pea soup !*

L'Indien rit, se moque de moi, et ses prunelles flamboient. C'est plus fort que lui : à chaque fois qu'il se dresse dans la lumière, il me blesse et me délivre en même temps. Il n'a pas eu à apprendre sa vie, lui, ni à l'arracher aux autres. Elle lui fut donnée telle quelle : gratuite, seule, flamboyante. Il s'approche, il avance vers moi avec l'aviron au bout de son bras. Puis il me pousse à l'eau.

— *Follow me !*

L'Indien rame et je nage. Ça y est : la fête est dans nos cellules et bat son train. Les nerfs commandent et les muscles obéissent. Pinceau nage à côté de moi. Il plonge de temps en temps à la poursuite d'une carpe trop lente. Fasciné, le soleil luit. Aucune ombre sur l'eau. Aucune peur. Aucune hésitation dans l'élasticité des mouvements.

— *You learn fast !*

C'est facile d'apprendre avec toi puisque je ne ressens pas la douleur d'apprendre. Je sais que je ne sais rien encore et, quand je suis avec toi, je n'en souffre pas. Je ne fais que nager, essayer, vivre. Je ne fais que tenter ma chance, suivre le fil de l'eau, inventer ma joie. Au large, quelques moutons au sommet des vagues me ralentissent. C'est tout à coup plus difficile. Les bras se perdent dans l'enjambement des crêtes d'écume. Ça bouillonne dans ma cervelle. Soudain les commandements s'emmêlent et se contredisent.

— *Stop ! On your back !*

Je me donne un élan et je reviens au soleil, d'abord dans la transparence hypnotisante de l'entre-deux-eaux, puis tout à fait à la surface, comme une épave jaillissant du fond trouble. Un bonheur à pic m'ensorcèle une petite éternité puis m'abandonne à ma respiration qui me raplombe après m'avoir presque étouffé. Brève mort, retour subit à la vie : c'est l'ordre des choses. Avec lui, tout est toujours naturel. Ça va comme par enchantement, même dans le péril. Il n'y a pas de hasard avec l'Indien. Juste des risques et une délivrance, notre victoire sur la peur. Je flotte maintenant. Je me laisse balancer. Je suis tantôt sur la vague et tantôt dans son creux, pris, puis relâché par la houle, facilement. La voix de l'Indien, son rire, ses feulements me rassurent. Les aboiements de Pinceau aussi. J'ai fait beaucoup plus qu'hier. J'ai presque atteint la petite île. Je suis sûr que je traverserai le lac avant l'école, avant... L'école ? Le séminaire ? Panique. Tasse d'eau avalée de travers et qui vient brûler la gorge. Éblouissement, perte du bel équilibre, fin de la belle facilité. Je coule, torpillé par cette pensée explosive : l'été mourra, l'été finira et je m'en irai désapprendre au séminaire l'essentiel et le magique de la vie. J'avale sans pouvoir m'arrêter. Je bois le lac, les poissons, les images noires du futur et c'est long, ça n'en finit plus toute cette vase que j'engloutis, qui grouille, qui s'entortille et se déplie dans mon ventre comme une couleuvre gonflée de poison ! Au secours !

— Kanak, aide-moi ! *Help !*
— *Woh !* Tranquille ! *Take my arm !*

Qu'est-ce qui lui a pris au juste se demandent l'Indien et le chien ? Tout allait bien. Le cœur y était, son corps naviguait tout seul, l'air d'aller, le ballant, tout y était !

Il n'y a que cette idée pour me faire flancher. Cette idée de fou, fatale idée de malheur : tout perdre, le quitter, lui, et m'en aller mourir à petit feu dans l'enceinte funèbre du séminaire. Et si je me noyais tout de suite, ce serait fait, je serais mort et on n'envoie pas les morts étudier au loin ? Je ne veux jamais partir d'ici. Jamais me désolidariser de lui. Ses envoûtements me sont indispensables comme l'air qu'on respire. La beauté de la vie lui appartient et c'est de lui seulement qu'elle peut jaillir, couler, se faire source pour moi.

Il m'a repêché. Je suis à nouveau dans la vie,

essoufflé, crachant, toussant. Il m'a remonté dans la chaloupe. Il a ma bouche dans la sienne et il cherche mon souffle. Mais je ne veux pas ressusciter. Ma chair de poule est devenue chair d'aigle, de faucon. Une rage me tord tout le dedans.

— *What's wrong with you ?*

Nothing. Nothing is wrong with me. Tout est décidé d'avance sauf toi et tes sortilèges. Voilà ce qui ne va pas ! La peur. Les serres, les crocs de la peur. Et je me cramponne et je te résiste et je ne veux pas renaître. J'ai raison d'avoir cette peur-là, Kanak ! Parce que je sais qu'on va m'entamer, m'arracher mes bourgeons, 'couper mes branches folles. On va m'empêcher de me prolonger tel que je suis. On va peut-être même réussir à me fabriquer une mémoire aveugle, sourde et muette. Ils savent ce qu'ils font dans les collèges. Ils sont payés pour enduire les enfants de latin et d'amnésie. L'oubli du songe fondamental viendra graduellement m'affadir, me décourager. Ma forme elle-même changera. Ma souplesse, ma fougue, tout partira de moi. Mes affinités avec toi, notre ressemblance, notre gémellité, mon meilleur, ils sauront me le défigurer, me l'arracher. De messe basse en salle d'étude, peu à peu, lentement, fuira la réalité, la seule, celle qui a ta saveur, notre avidité, mes désirs, nos assouvissements, notre force. Notre triomphe sur la peur n'aura plus lieu que de temps en temps, dans mon rêve, toujours le même, prisonnier du sommeil des autres mutilés, dans le grand dortoir. L'innocence blanchie, éteinte, poursuivie jusque dans le souvenir. Consentir à cela ? Jamais !

Je replonge. Mais cette fois l'Indien plonge derrière moi. C'est que je pourrais trop en avaler et, sans effort, me laisser couler jusqu'au fond, comme une ancre !

S'il m'attrape et surtout s'il me tient contre lui, je serai obligé de me dénoyer d'un coup. Je n'y peux rien : dès qu'il me touche, c'est la résurrection instantanée.

Pour avoir failli me noyer avec l'Indien, je suis en pénitence. C'est-à-dire qu'ils me croient en pénitence. Ils m'ont enfermé au grenier, parmi les vieilleries de grand-père. Ils ne se doutent pas que je trouve ici des moyens de plus pour lutter, refuser, tenir bon. La punition n'en est pas une. C'est un refuge ici. Par la lucarne grande ouverte me parviennent les sons, les senteurs du soir, le rose et le bleu de l'accalmie. Je peux même voir le lac et ils me pensent en méditation, en perte de temps. Les retraites fermées, les génuflexions, les *mea culpa :* pour d'autres ! Je ne m'accuse encore de rien. Je suis intact encore dans mon aspiration à vivre, à me continuer.

Les chaloupes rentrent lentement une à une, espacées seulement par leur sillon calme sur l'eau. On revient paisiblement d'un pique-nique où on a fait semblant de s'amuser et de ne pas être tout seul. On a mangé des sandwiches poivrés de sable et on a aperçu, avec stupeur et agitation, un lièvre beige détaler. On ne s'est pas aventuré bien loin dans le bois parce que la forêt effraie. Elle recèle trop de mystères. Trop d'herbes piquantes y fleurissent. Elle stimule trop, elle excite des sens qui ont fini par s'atrophier, vidés de leurs nerfs.

Grand-père, pourquoi sont-ils si tristes, les nôtres ? Pourquoi sont-ils sournois, gênés de vivre ? Qu'est-ce que c'est que cette maladie qui les dénature ? Dans le tohu-bohu des questions sans réponses, ma tête tourne et ne trouve pas de repos. C'est alors qu'il peut venir. L'esprit de grand-père descend avec le soir. Tu as une drôle de façon de t'exprimer, grand-père, depuis ta mort. Tes mots sont flous, ta voix embrouillée. Quand je pense à tes phrases claires, limpides, à ta belle facilité d'avant le cimetière ! Tout se complique et je ne sais plus t'écouter. Mes antennes sont atrophiées. J'ai beau tenter d'apprivoiser les signes, les sons, ton langage déroutant, je reste seul et je me parle au lieu de t'entendre. Grand-père, tu n'as pas fermé les yeux pour l'éternité, n'est-ce pas ? Tes beaux yeux scintillants ! Grand-père, tout me fuit, m'échappe. Entre deux eaux, ton regard me blesse parce qu'il fixe les profondeurs au lieu de me guider. Tu t'enfonces dans l'oubli, toi aussi. Leurs bienveillances trop brusques, leur acharnement à t'extirper de moi, ce bien qu'ils me veulent coûte que coûte et qui me fait si mal, grand-père, je me méfie, comme je me méfie !

Qu'est-ce qu'ils ont contre lui, contre l'Indien ? Ils haïssent ce que je porte en moi et qui lui ressemble. Ils haïssent notre complicité, sa façon de m'aimer, sa joie noire. Et pourquoi veulent-ils me mener ailleurs, dans un monde clos, sans vol d'outardes au-dessus de nos têtes ni chute libre du temps ? Enfin, est-ce parce qu'il m'aime ? Est-ce parce que leur triste amour à eux ne sait pas déséchouer la tendresse ? Une liberté me poursuit, grand-père, qui me vient de toi, par l'intermédiaire flou des autres du clan. Quelque chose est en chemin à travers moi et, ce soir, ça me chante trop de cantiques à la fois dans les deux oreilles. Est-ce lui qui te remplace, grand-père ? Est-ce à l'Indien que tu m'as donné ? C'est cela que tu voulais dire quand, juste avant que je ferme tes paupières, sur ton dernier souffle, tu as murmuré : « Laisse-toé pas faire, ti-gars ! » ? D'avoir vécu avec l'Indienne, ta femme, ses mystères quotidiens et ton bonheur fou et cette division en toi, le rouge, le blanc, elle, le clan, le clan et elle, est-ce tout ça que tu me lègues, comme un héritage dont les autres n'auraient pas voulu ? Le fait d'aller à des devoirs comme on va à des besoins, toutes leurs mascarades t'auraient-elles épuisé, grand-père ? Est-ce tout cela qui t'a conduit à mourir les yeux grands ouverts, fatigué mais lucide, et à t'en aller attendre, souhaiter du fond de tes limbes, interminablement, que ça se prolonge quand même, que ça se continue, l'espoir et la vérité envers et contre tous et que la lutte soit féroce et tendre, à l'image de vos chevauchées dans la savane ? Ces courses folles que tu as vécues avec la sauvagesse grand-mère, l'Iroquoise, la plus forte de la réserve, au début, du temps de vos amours, quand le pâle n'avait pas encore étouffé le foncé, avant que ça se civilise tout de travers dans le village, toutes vos ruses, comme autant de faits d'armes, pour échapper à leur mesquinerie, c'est à moi, grand-père, que tu confies tout cela comme un ouvrage à finir, comme un sens à ma vie ?

Il fait grosse nuit maintenant. Je suis recroquevillé, pelotonné dans ta chaise de mort, grand-père, ta chaise berçante qu'on a remisée au grenier pour qu'elle ne dérange plus leur sommeil. Une tornade fauve me bardasse et mon ardeur s'épuise toute seule. Des spirales m'entraînent dans leur mouvement fou, irrégulier, impossible à suivre. Et voilà que mon avenir est visible maintenant. Je le vois se déplier, naître. D'abord je discerne mille rangées de curés en longues robes de deuil et qui brandissent des crucifix également noirs, orgueilleux, foudroyants ! Puis apparaissent les livres, tant de livres, beaucoup trop de livres pour mes yeux, pour ma tête, pour ma soif et ils me forcent à les ouvrir, ces livres, à plonger dedans mais je ne comprends pas les phrases doubles, triples, les significations multiples et je n'ai jamais le temps de me reposer dans les blancs, les silences impossibles entre les mots noirs ! Puis viennent les gestes, les simagrées que je n'arrive pas à singer, que je défigure, et mes mains, malgré moi, qui se tendent pour recevoir les coups, et les larmes qui montent, amères et qui coulent et qui ne soulagent pas ! Et l'absence éternelle de féminité, de tendresse, les couloirs qui sentent le moisi, la détresse grise des murs, la perfidie, la trahison et la confiance battue, s'en allant filer doux au plus profond de moi et pour longtemps ! Ça va trop vite. Ça se déroule et se déploie à une vitesse dangereuse et le cœur me lève parce que je vois, en accéléré, ma misère à venir pour conserver ma langue, mes signes, ce qui me vient de toi, grand-père, et qui m'appartient si fort et lui, l'Indien, la forêt sauvage, tout s'efface sur le tableau noir qui se remplit à mesure de signaux neufs, tellement étranges que le sommeil me gagne parce que c'est dans le rêve et dans le rêve seulement que la suite est possible, que le monde est encore intact. Et ma nausée perpétuelle et la bave que je bave sur leurs pupitres couverts de graffiti grecs et latins, leur langue codifiée, leur hypocrisie, leur haine ! Et ma tendreté informe, lovée dans les seuls petits recoins qu'il me reste, creux au fond de moi, mais jamais vaincue et pourtant toujours meurtrie, toujours poursuivie à travers les salles grouillantes de grands garçons sauvages alors que mon Sauvage à moi est archangélique de douceur ! Et je vois, plus loin, au fond, au bout du rouleau infernal, machiavélique, les miens, tous ceux du clan, rangés, appliqués en une cérémonie grotesque, insensée, prophétisant la fin du monde libre, le dernier chant funèbre et c'est sur ta tombe, grand-père, oui, dans le cimetière, sur le petit monticule d'herbe qui garde et protège tes os froids, c'est là qu'a lieu cette danse macabre qui signifie la cessation définitive du goût et de l'élan, la perte fatale du rêve et de l'espérance, la fin radicale de mon innocence !

Ai-je crié ? Ils sont tous montés les uns après les autres. Même le docteur est là. Ils croient donc que ça se guérit ? Ils croient donc que je guérirai de toi, grand-père, et de Kanak ? Je n'ai qu'une fièvre comme une autre. Une simple transpiration amère de presque noyé. C'est tout. Et ne vous avisez pas de me l'enlever !

Une identité, ça se désire davantage que ça se cherche ou que ça s'invente. Un jour glorieux d'élections générales peut ne rien changer. Car le malheur n'est pas en soi, installé à demeure. Il rôdaille, il s'insinue, il vient du dehors. Il surgit d'un vieux tas de branchages, comme les couleuvres. Un tas de vieilles affaires qu'on a empilées là-bas, plus loin, en croyant s'en débarrasser. De la clarté du désir, rien de mauvais ne peut jaillir. Quand bien même on voudrait. C'est de trop attendre et d'endurer son mal que l'impossible s'accumule, comme le tartre entre les dents, comme le rhumatisme dans notre moelle et alors c'est l'intolérance.

Je suis au courant de ce qu'on dit et de ce qu'on pense dans toutes les maisons sans amour du village, dans les réunions paroissiales, à l'hôtel du coin. Je n'ai que treize ans mais je sais qu'il y a eu la guerre. Elle éclatait peut-être très loin d'ici mais elle éclatait quand même, elle tuait pendant que je poussais, que je germais en ma mère, une du clan. Et puis il y a eu surtout l'esprit de la terre, de la forêt, qu'on a volé à l'Indien et, maintenant, tout va pour le pire et personne ne semble plus s'en apercevoir. Donc, depuis plus d'un siècle, ils promènent l'amour en laisse, comme un chien méchant ou trop curieux, dans les rues du village.

Parce que ça n'a pas eu lieu. Parce qu'ils ne se sont rencontrés que pour s'arracher quelque chose, pour s'annuler, comme deux négations d'une même vérité. Le rouge et le blanc, comme deux versants d'une même impossible montagne.

Il y a eu trop de cloches, dans les clochers, pour célébrer les nouveaux venus parmi le troupeau agenouillé. Il n'y a pas eu assez de belles tempêtes pour saluer la naissance d'un sorcier au cœur pur. Et s'il y a eu survivance, c'est grâce aux incartades des indésirables, des généreux et des généreuses, silencieux, entêtés, occupés à fabriquer une réalité qui sache, du matin au soir, purifier et guérir. Toutes les choses vertes qui vivent. Les difficultés qui se croisent, la vérité des choses, le pouvoir de donner vie et non de détruire. Au centre du monde, faire fleurir l'arbre. Et qu'il s'emplisse du chant des oiseaux et ça suffira. Pour le moment. En attendant que nos enfants puissent. En attendant que le monde ne soit plus jeune et ignorant. En souhaitant que l'étrangeté de la terre ne soit pas éternelle comme sa misère. Nous avons compris la douleur et nous nous en sommes fait une alliée incomparable. Une arme au tranchant doux et implacable. Une arme de sauvage. Et rien d'autre ne peut faire venir le goût du chant de la victoire. Rien d'autre ne peut nous célébrer, dans les siècles et les siècles. Amen.

Je dors. Dans le grand salon de la maison de mon père et de ma mère, on chuchote par-dessus mon corps.

— Y est ben trop influençable !
— Y est ben trop exalté !
— Y est ben trop ci et trop ça !

On déplore ma passion sourde et muette pour le grand Sauvage d'en haut de la côte. Et, pendant ce temps, dans les limbes de l'inconscience, proche, très proche de grand-père, j'invente la suite. J'ai perdu pas mal de plumes. Mon envol risque de raser les murs qu'ils veulent dresser autour de moi. Quand même, je tenterai de monter, de m'élever jusqu'à la clarté de l'identité atteinte. Parce que mon rêve est entêté et aussi parce que je n'ai pas le choix : je suis auréolé par la prophétie de grand-père, comme une protection inviolable.

Certains êtres vivent sans se creuser la cervelle et leurs accomplissements dépassent les dogmes de toutes les religions. L'Indien est ainsi fait. Il respire juste à sa bonne hauteur. N'étant embarrassée d'aucune angoisse de mort, d'aucune raison de courir vers sa perte, d'aucune impatience, son identité semble léthargique. Mais on cherche peut-être à se construire un peuple parce qu'on a peur de mourir ? Pour l'Indien, tout arrive en temps voulu, car le temps est ce qu'il est et non ce que nous voulons qu'il soit. Espérer, c'est un sortilège blanc.

Une mauvaise sueur m'enveloppe. Dans mes draps poisseux, j'achève d'extirper le poison. En fait, en ce moment même, il se fabrique insidieusement dans mes cellules un contre-poison pour le temps voulu.

Nicolas guide la petite caravane. Sa foulée célèbre le beau temps, la chaleur et la fraîcheur, ensemble, du matin. Il ouvre le chemin sans jamais briser les branches. On pourrait presque attraper les lièvres avec nos mains : ils ne nous entendent pas venir dans le sous-bois tapissé de mousse. Je suis encore avec mes Sauvages et je savoure chaque détour du temps qu'il me reste. Plus tard, je vivrai d'interdits et si des fausses lois me menacent, elles ne font que me menacer. Elles ne me ligotent pas encore. Pour l'instant, aujourd'hui, je suis avec eux. Tant et aussi longtemps qu'ils ne m'attacheront pas, je serai avec eux.

Si le vieux Dourthes nous voit passer, je sais ce qu'il pensera dans sa vieille tête débile. Ils en ont fait leur chose, leur distraction, leur plaisir de sauvages et le petit ne s'appartient plus. C'est que le vieux Dourthes n'est plus convié, depuis des siècles, à la réjouissance. Ses noces sont loin derrière lui. Toutes les années, après, ne sont venues que pour l'amer et le raisonnable. Les vieux chicots dans sa bouche furent autrefois des dents mais le désir de mordre s'en est allé et avec lui une certaine ferveur indispensable. Il ne lui reste plus que le zèle des basses messes et ce n'est qu'en parlant mal des autres, des Indiens surtout, le dimanche, sur le parvis de l'église, qu'il retrouve parfois une ancienne ardeur, noire, et qui arrive encore à se cabrer et à gicler du venin, tout ça parce que la tendresse est pourrie dans son cœur depuis longtemps. S'il s'arc-boute encore et redresse le torse sur notre passage, ce sera pour donner à sa haine de l'espace, un peu d'air, le temps d'un mauvais mot, d'un sacre ou d'une malédiction ou, simplement, d'un crachat. Sur Nicolas, sur Kanak, sur moi, sur les grands arbres qui balancent leur chant très haut dans le ciel, quelle emprise pourraient bien avoir les discours fielleux d'un vieux fou ? Rien ne peut changer notre allure. Rien n'est un obstacle quand je suis avec eux. Leur noirceur protège ma tranquillité. Où que nous allions, jamais je n'ai peur. Comme lorsque j'allais avec grand-père et la sauvagesse, ma grand-mère, dans les chemins cahoteux de la commune. Même si j'étais trop petit, grand-père me laissait tenir les guides de Baptiste, parce que le vieux cheval se rendait par cœur partout où grand-père avait besoin d'aller. On traversait la savane et on s'arrêtait souvent devant une des vieilles cabanes, d'où sortait un chant qui me faisait mal. Grand-mère me serrait alors contre elle et sa bonne odeur vite me raplombait. Grand-père, lui, descendait du boghei, avec sa vieille trousse toute

rapiécée. Baptiste attendait en broutant l'herbe poi-
vrée de la savane. Le temps s'arrêtait. Le temps ne
signifiait plus rien, tout à coup. L'Indien s'approchait.
Grand-père n'entrait pas dans la vieille cabane. C'est
l'Indien qui venait le trouver dans les hautes herbes,
au bord du chemin. Son cou était gonflé, violet,
boursouflé de grosses grappes de mauvais sang. Dans
son regard, une confiance animale, la seule vraie,
disait grand-père. Je ne voyais que son dos et le visage
de grand-père, attentif, concentré. Et je n'entendais,
à travers le vent, que quelques cris sourds. Grand-
père, avec son couteau, guérissait l'Indien à froid.
Du sang noir coulait sur ses mains, sur l'épaule de
l'Indien, dans l'herbe. Puis l'Indien remerciait doucement de la tête en se tenant le cœur sous sa chemise.
Souvent, grand-père soupirait sur le chemin du
retour. Et souvent je l'entendais murmurer, entre
ses dents, sa colère contre ce qu'il appelait « le blan-
chissage ».

— Y savent ben mieux que moé, mais y ont pardu
leurs ailes, leurs moyens. Leur foi. C'est fini pour
eux-autres astheure ! C'est fini...

Grand-mère me serrait alors très fort. Son gros
corps doux se durcissait puis c'est elle qui, en s'étirant,
saisissait les guides de Baptiste et fouettait le vieux
cheval qui n'en revenait pas.

— Fini ? Tu sauras voir Jos ! Tu sauras voir !

Tu n'as pas su voir plus loin, grand-père, puisque je t'ai fermé les yeux pour toujours et avant le temps voulu.

Nicolas s'est arrêté. Entre les sapins, au fond du vallon, un gros animal est couché sur lui-même, une grosse boule rousse.

— *The bear !*

L'Ours n'entend même pas son nom que Kanak a prononcé sur le souffle. Nous approcher de l'Ours ? Pour quoi faire ? On le voit très bien d'ici et puis déranger son sommeil ne nous vaudrait rien. Jusqu'à ce qu'il émerge de sa torpeur, on le regarde. On le contemple. On observe sa quiétude qui ne souffre aucune comparaison. Son abandon. En insistant un peu, on voit bien que ce n'est pas seulement le soleil qui lui donne ce pelage roux, lustré. Les reflets émanent de l'huile dans son poil et aussi de sa force endormie. Nicolas et Kanak n'ont pas d'arcs ni de flèches. Ils ne chassent plus. Les blancs ont vidé la forêt. Il ne reste que deux ou trois ours, quelques chevreuils seulement et plus du tout de caribous. Simplement, ils trappent certains hivers trop durs. Certains hivers de scorbut et de méchante léthargie. La vente de la peau de l'ours, alors, ramène l'abondance. C'est-à-dire, le nécessaire. Non, le gros Ours, on le laisse dormir. Parce que c'est l'été et que la faim n'oblige pas encore.

Je déguste mon éblouissement : la férocité tranquille de l'Ours et le sourire de Kanak et leur odeur, encore leur odeur, vient fasciner mes narines et soudain tous mes nerfs participent à la totalité de cet instant unique. Ils rient et leurs mains me touchent. Tout à l'heure, je sais qu'ils vont me prendre. Quelque part dans le fond du val où le ruisseau vert coule à peine, vu la sécheresse. Dans le petit filet d'eau, tous leurs gestes et tous les miens seront une désaltération. Déjà, Nicolas me fait grimper sur ses épaules. Je vois le monde à la hauteur des branches et je prends le vent de face. Nous descendons vers le ruisseau. Après un cri, toujours le même et toujours nouveau pour moi, Kanak est entré dans l'eau. De là, il m'appelle. Nu, son corps reflète le gros soleil. Il est rouge comme l'ours et son dos brille. Son sexe a grossi depuis que sa main le caresse, le prépare.

— *Come !*

Nicolas, lui, s'est endormi et il ronfle comme un bon. Dans l'eau, Kanak et moi, on fait, ensemble, quelque chose d'unique que, plus tard, j'appellerai l'amour, comme tout le monde. Mais aujourd'hui, je ne sais rien, je ne connais pas le jeu, je ne suis pas encore capable de comparer, donc d'hésiter. Je ne fais que percevoir, recevoir. L'Indien m'apprend mon corps. Il m'enseigne comment faire monter, puis retenir, puis comment faire éclater une joie brûlante, le plaisir. Mon sexe à moi est tout petit et tout fripé dans sa paume. C'est que les culottes du marchand général sont faites solides pour retenir, ratatiner. Kanak se met à rire si fort que je pense à l'Ours, à son réveil possible. Mais l'Indien est en très bon termes avec l'Ours, avec le soleil, avec les vagues tièdes et les remous du ruisseau. Et moi, je prends son rythme, j'obéis. Je suis mobile, houleux, je suis, tour à tour, torrentueux puis apaisé. Je suis projeté puis retenu. Pénétré, puis vide, puis en train de traverser un désert, puis à nouveau dans l'eau. Je suis partout à la fois et je ne me reconnais nulle part. Je suis au cœur d'un privilège rouge, je suis dans le lit d'un ruisseau qui se fait cascade, chute, je suis partout ailleurs que dans un piège, je n'appartiens plus à rien ni à personne. Prends-moi et laisse-moi te laver, t'enduire d'eau claire, laisse-moi goûter ma chance longtemps ! Dans l'instant même qu'une douleur pointe, une joie vient l'abolir. C'est toujours comme ça avec lui. Parce que ça n'a pas encore de nom, ni d'histoire, ça m'envahit sans m'étouffer. Facilement, alors, je fais lâcher prise à la mémoire, aux éventualités rebelles, à la misère omniprésente. Je ne suis plus qu'une sensation forte dans l'eau transparente d'un ruisseau, avec l'Indien sur moi qui souffle comme une brise et qui achève de m'attendrir.

Après, quand ça pétille dans tous les membres et qu'en même temps le goût de dormir pèse un peu, après l'amour, comme j'apprendrai plus tard, plus loin, à le nommer, on s'assoit sur le sable et on mange des mûres. Je regarde le ciel qui n'a pas pâli, qui est resté lui-même, ce vide d'un bleu lumineux. Et je les écoute. Ils parlent, entre eux, une drôle de langue où l'anglais se mêle à des sonorités plus chaudes, indéchiffrables, inconnues. Des mots qui ne voilent pourtant aucun mystère. Des mots qui sont des images, pour nommer, pour faire chanter les choses.

C'est une autre journée de mon dernier été qui s'achève et qui me meurtrit doucement, à l'insu des deux Indiens. Parce qu'elle est sur son déclin et que le temps à passer avec eux m'est compté.

Angélique ou diabolique, tout ce que vous voudrez, mais il n'est ni rapace ni lâche. Pas du tout enclin au massacre. Non plus porté à la fainéantise. Complètement à l'antipode de sa légende. Jamais je ne l'ai vu détruire, saccager. Jamais il ne se plaint. Simplement, quelquefois, le soir, sa voix hurle. C'est comme pour le loup : quand il y en a trop pour ce qu'on peut faire avec, on laisse sortir le trop-plein, comme un chant. Quand on demande, comme une aumône, le droit de vivre et qu'on sollicite sans cesse la permission de boire à ses propres sources, il arrive qu'on se décourage et qu'on se laisse aller à pousser une plainte qui résonne longtemps sur l'eau.

Il sait, avec certitude, que ses racines vont se perdre à l'est, au sud, au nord et à l'ouest en même temps. Il ne cherche pas une nouvelle demeure. Simplement, il aimerait que la sienne lui soit rendue. Rien de plus.

Mais c'est encore trop pour nous.

Pourquoi font-ils comme si de rien n'était ? Venir au monde, tâcher de survivre, ça ne compte plus. Ce qui compte c'est espérer de toutes ses forces que le résultat des prochaines élections soit le bon. Espérer, comme à l'église. Détrôner le petit roi, voilà de quoi il est question aujourd'hui. Duplessis, le bleu, avec son grand pouvoir, le remplacer par les rouges tout neufs, avec un sang qu'on dit plus frais, plus clair. « Y faut que ça change ! » C'est ce que vient de crier un homme au chapeau écarlate, sur la tribune dressée au bord du lac, à côté de l'église. Mon père m'a fait monter sur ses épaules, pour l'occasion. Jamais le village n'a paru si gai, si propre. Jamais, même pour les célé-brations de Noël, autant de monde n'était sorti de chez eux. Même Fred Théorêt est là, debout dans son boghei, raide comme une statue du sanc-tuaire.

Je ne crois pas que c'est changer qu'il faudrait. Ce qu'il faudrait, c'est revenir un siècle en arrière et recommencer. Rencontrer l'Indien et qu'une civilisa-tion naisse de cet accouplement unique sur toute la planète. Ce qu'il faudrait, c'est avoir la liberté d'être ce qu'on est : il peut exister deux occupants sur un même territoire, les animaux en sont la preuve. Si on colle l'oreille contre un arbre, on entend vivre mille sortes d'insectes dans le grouillement de la sève. Ainsi, ici, aujourd'hui, devraient coexister nos races. Cordialement, bien chers frères, chers électeurs, monsieur le maire, cher docteur, pâle remplaçant de grand-père, je vous le dis : il n'est peut-être pas trop tard. On peut encore ressusciter la fumée de la paix dans les calumets. Nos chants alors jailliraient de toutes nos voix réunies sur la grève et monteraient vers le ciel, plus brillants que tous les *tantum ergo* et que tous les « Y faut que ça change » du monde ! Pour le reste, changer pour du pareil au même, pourquoi ?

Au bout du quai, les Indiens pêchent sans écouter la voix libérale. Nicolas, Kanak, Gordon, Ouna et les autres. Ils sont rouges, beaucoup plus rouges que vous, monsieur le crieur. Ces pêcheurs et ces pêcheuses sont rouge sang, rouge cuivre. Rouge exaspération, le rouge des pierres chauffées. Rouge ténacité, rouge orgueil, rouge du rouge des gorges ouvertes des caribous, rouge comme l'écorce d'enfance de l'érable, rouge framboise, rouge cenelle. Rouge du rouge de la honte. Rouge abcès. Rouge œil-de-lynx, rouge d'écorchement et de colliers de haches. Rouge du rouge des anciennes victoires, des cheveux blond-rouge au bout des piques. Rouge attention, rouge colère, peut-être !

Comme si de rien n'était, la voix libérale continue d'ânonner, de débiter des promesses. Pour que le malentendu se poursuive en changeant de couleur.

Moi, je saute en bas de mon père. Je cours rejoindre les Indiens sur le quai.

Quand il arrive par le sentier de sable, je le vois venir longtemps. Je peux dire d'avance quand il dressera la tête pour m'apercevoir et, surtout, quand il lèvera sa main gauche à la hauteur de son cœur pour me saluer. Je peux deviner son humeur rien qu'à suivre son balancement entre les pins. S'il tangue, c'est qu'il s'est levé gai. S'il sautille, c'est qu'il a en tête des idées pour moi, quelque chose de neuf à m'apprendre ou un projet qu'il me dissimulera jusqu'à la rivière, pour faire durer mon plaisir. S'il arrache les feuilles du chêne sur son passage, c'est qu'il s'obstine à l'intérieur de lui-même avec une chose obtuse, comme par exemple, l'inimitié des miens, leur entêtement. S'il est vraiment de mauvais poil, alors il ne vient pas. Toute la journée, il sera dans la forêt à passer son mal dans le silence. Parfois, plus fort que la chanson du vent dans les aiguilles de pin, un cri sort de lui et le délivre. Ces jours-là, j'épie, j'attends toute la journée. Si je le perds, je perds tout feu toute flamme. Jamais il ne me demande une chose sans m'en offrir une autre. Jamais il ne m'interroge et pourtant, je réponds à tant de questions avec lui. C'est qu'il me laisse à ma propre effervescence et alors je saisis, je comprends, je peux savoir. On appelle ça le respect dans toutes les langues du monde sauf celle du village, du clan, et, bientôt, celle du séminaire. Il ne sait pas écrire et pourtant, l'autre soir, sur la grève, il m'a dessiné une phrase qui allait de chez Pit Lafleur jusqu'à la dame du ruisseau vert. Ça disait à peu près ceci : je t'aime parce que tu es fidèle et attentif. Ou quelque chose comme ça. Difficile de le répéter sans reproduire ici toutes ces belles figures enlacées sur le sable et que les vagues ont emportées dans la nuit.

J'attends Kanak mais l'Indien ne viendra pas aujourd'hui. La rivière, la forêt, d'autres soucis le retiennent. Il ne peut pas toujours être avec moi. Et pourtant, moi, je suis toujours avec lui. C'est un vingt-quatre juillet bien trop calme. Il va se passer quelque chose. Dans la baie, les outardes s'accouplent. Leur cri d'amour est déchirant comme son cri à lui.

— Y t'a ensorcelé !

— Tu pourras pus jamais te défaire de ses maléfices !

— Sa sorcellerie te mène pis te mènera par le bout du nez !

— Sa fougue, sa vitalité, c'est rien qu'une apparence. C'est le yâble en personne ce sauvage-là !

Ce sont les voix de ceux du clan qui résonnent dans ma boîte à peurs. Entre mes deux oreilles, un courant me court-circuite le jugement. J'ai une petite idée, ce matin, des transes à venir et du futur anéantissement d'être tout seul.

Un tourment me tourmente et m'attire dans ses remous sales, visqueux. Grand-père, naît-on avec la peur quand on naît en bas de la côte, dans le village qui porte un nom de saint et tous les stigmates d'une histoire qu'on veut continuer d'ignorer ? Naît-on blanc de peur, avec le sang trouble, appauvri de s'être trop longtemps mêlé à lui-même ? Naît-on blanc et dépourvu du sens ou de l'organe qu'il faudrait pour résister au virus de la destruction qui coule dans l'air, dans l'avenir, comme dans le passé, et qui s'attrape si facilement ? Grand-père, naît-on blanc à cause de l'impuissance des dieux à s'imaginer rouges ? Et pour la survie de cet orgueil déchu, doit-on porter sa peur, comme un crucifix de procession, toute sa vie ?

Je suis pris soudain d'une drôle de fatigue. Couché sur la grève, j'essaie de modérer mon cœur. Mais il se débat de plus en plus fort. Il lutte contre une meute de minuscules loups déguisés en mots qui nagent à vive allure dans les canaux du sang, plus féroces que des mouches à chevreuil. L'eau de mes larmes fait, avec le sable, une drôle de boue. Une pâte sablée, piquée de morceaux d'huîtres, de fourmis et d'œufs de maringouins. Une petite galaxie dans le creux de ma paume. Un monde captif mais terriblement vivant qui bataille, qui s'entête à continuer la vie, qui respire intensément, qui grouille et qui grimpe sur mes doigts, inconscient du danger, de la menace de mon poing tout-puissant. Un monde en prison mais plein d'espoirs d'évasion, plein de désirs d'au-delà, de survie. Une fourmi se sauve sur mon poignet. Elle fuit avec son fardeau, un œuf, sa descendance sur sa tête, comme un chapeau. Elle gagne le creux de mon coude, s'y repose un peu, puis elle repart, légère, sans savoir vers où, loin, très loin du sable, de ses repères habituels et pourtant elle file, elle s'évade. Elle ne craint ni le vide immense sous elle, ni la montagne gigantesque de mon épaule. On dirait qu'elle sait, que quelque chose en elle sait qu'en atteignant mon cou, tout se mettra à trembler d'un gros frisson et qu'ainsi, elle sera à nouveau projetée sur le sable, qu'elle pourra achever son voyage, retrouver sa tanière, qu'elle aura droit encore, jusqu'à la prochaine invasion du bras humain, à la vie, au travail, à la joie de se mouvoir. L'hypothèse de mourir sous la plante d'un pied, ou noyée dans la mer d'une vague, n'entrave pas du tout sa course folle. La mort ne compte pas. Ce qui compte, c'est voyager, poursuivre l'ouvrage à faire, fournir sa part au trésor de la connaissance. Ce qui compte, c'est de ne jamais s'arrêter pour ne jamais connaître la grande fatigue de l'arrêt, le grand vide de l'immobile. Ce qui compte, c'est fuir en avant avec le poids léger de sa survie sur sa tête et l'air dans ses poumons, comme une merveilleuse et constante surprise.

Et si, moi aussi, je connaissais cette vraie furie, cette propulsion vers mon moi, plus loin, mon plus que moi ? Si, moi aussi, j'étais habité, animé par cette même nécessité de voyager quand même, envers et contre vents et courants ? L'Indien n'est peut-être venu que pour semer ce goût dans tout mon corps, comme une passion ? Et, une fois la certitude du germe bien enfouie dans la terre, l'éclosion peut avoir lieu plus loin, plus tard, n'importe où ? Puisque la magie a opéré, déjà, et que l'oubli ne viendra plus jamais, l'oubli de l'intention capitale, rien ne presse ? Tout serait encore à naître, grand-père ? Rien n'est mort, puisque je fais tranquillement des racines ? Puisque je suis là avec ma mémoire vorace et mon désir têtu ? Si la fourmi est si forte, si l'outarde est si habile à parcourir sa migration jusqu'ici, jusqu'à notre rivière, qui dit que je ne l'aurai pas, moi aussi, cet acharnement là ? Qui dit que je ne pourrai pas, malgré le temps qu'ils me voleront, te prolonger, assurer notre belle continuité, grand-père ?

Spontanément, une euphorie me pousse à l'eau. Dans mes bras, dans mes jambes, quelque chose d'indomptable me fait prendre le large. Je traverse ! Aujourd'hui, je me rends de l'autre côté du lac, Kanak, je te le jure !

Tout a lieu dans un cercle. Le monde est rond pour eux. C'est dans la rondeur que la loi travaille. En quatre quartiers, la lune rondement conduit le temps. Toute chose où le pouvoir bouge est ronde.

Cette nuit, avec les étoiles au-dessus de nos têtes, comme un toit pailleté, palpitant, le cercle est formé autour du feu. Ouna est venue. Elle est assise sur ses jambes, à côté de moi. On l'appelle Marie-Ange au village, à l'école, mais son nom est Ouna, c'est-à-dire la nouvelle, celle qu'on n'attendait plus. Elle n'est pas muette puisque, de temps en temps, sa voix lance des notes fêlées, roucoulantes. Seulement elle ne parle presque jamais.

J'ai traversé le lac et ils sont contents pour moi. Ils ont allumé le feu pour célébrer ma victoire. Ils ne dansent plus autour du feu comme autrefois. Ils se sont fait épier trop souvent. On les a même arrêtés, avec la police et tout. Leur jubilation et leur nostalgie perturbaient trop la quiétude du village endormi. Ceux d'en bas de la côte perçoivent toujours un danger dans chaque excès, hein, grand-père ?

Tout ce que j'ai pu voler des restes du repas du clan, je le partage avec eux. Nicolas s'est encore assoupi. Il s'endort tout le temps, partout où ça lui prend, cette soudaine pesanteur dans ses épaules. Nicolas ronfle et Ouna rit de lui. Malgré les dents qui lui manquent, son sourire est éclaboussant. Kanak braque son regard sur moi. A travers les flammes, il m'observe et je l'observe. Dans le flamboiement rouge et vert du feu, son visage a pris un air presque méchant. Oui, je peux comprendre pourquoi ce masque impétueux leur donne le vertige de temps en temps. Ses yeux ne savent pas contenir, retenir leurs scintillements. Pour quiconque épuise continuellement ses yeux à frôler les murs, à effleurer les choses, à loucher de tous les côtés à la fois, un pareil regard qui touche, qui pénètre, a de quoi faire peur. Un désir couve dans ses prunelles, toujours prêt à croiser un autre désir, toujours à l'affût, sans cesse disponible à l'incendie spontané de l'exubérance. Ouna me fixe à son tour. Au fond de ses yeux dansent les mêmes feux follets qui dansaient dans le regard de grand-mère. Oui, je me souviens. Quand la vieille sauvagesse, ma grand-mère, arrêtait ma course à la sortie de l'école, pour me voir, pour me toucher, pour vérifier l'épaisseur et la température de mes vibrations, sentir comment allait ma petite vie. Tapie dans l'ombre du marronnier, elle avait l'air de conjurer le sort, de préparer un orage. Ti-Ronge, le grand Lavallée, même le gros Laurent Messier prenaient leurs jambes à leur cou. Elle n'avait pourtant rien fait d'autre que fixer ses yeux sur moi, afin de m'isoler du groupe, du préau de l'école, de l'espace et du temps. Parce que grand-mère avait ces yeux qui vont au-delà des choses visibles. Elle allait, avec son regard, où elle voulait. Bien sûr, quelquefois, surtout vers la fin, cela lui demandait un immense effort de concentration pour me reconnaître, pour être bien certaine que c'était moi, qu'il s'agissait bien de Michel, du petit dernier, et non de Paul ou de Fabien, ses aînés, et ensuite, pour être bien sûre que je l'aperçoive sous le marronnier, parce qu'elle ne bougeait plus beaucoup et qu'elle ne pouvait pas me courir après. Elle plissait tellement les yeux qu'elle effrayait. On aurait dit une ressuscitée, comme dans les histoires anciennes, et qui serait venue chercher ses petits-enfants, pour les avoir avec elle dans la mort. Elle avait tant de rides dans le visage que, si elle ne criait pas pour que je la découvre sous le gros arbre, je la confondais avec le tronc du marronnier. A son cri, le reste de la cour d'école se vidait d'un coup. Il n'y avait soudain plus qu'une vieille sorcière au visage d'écorce, avec un enfant dans les replis de ses jupes, sous un marronnier en fleur, et qu'on épiait de toutes les fenêtres de la rue. Elle passait ses larges mains sur moi, sur mon visage, dans mon dos. Elle s'assurait ainsi qu'on ne m'avait rien dérobé de mes frémissements braisés, de ma santé, de ma chaleur. Puis elle se mettait à piétiner en me serrant très fort contre elle. Je savais alors ce que, sans un mot, elle essayait de me communiquer. Ses trépignements sous le marronnier, ses visites de plus en plus fréquentes à la cour d'école, malgré les interdictions de grand-père, le docteur, son mari, la grande chaleur dans ses mains sur moi : oui, grand-mère allait mourir bientôt, c'était sûr. Simplement, elle désirait très fort que son souvenir, en moi, s'inscrive pour de bon, avec toute la force de sa tendresse. Avec toute sa passion, contenant toute l'espérance du monde. Parce que grand-mère n'irait pas plus loin. Elle ne verrait pas la suite du monde, sinon, impuissante, du haut de l'étoile où elle s'en allait s'échouer, parce que son temps était voulu.

Oui, Ouna, ce soir, ressemble à grand-mère. On pourrait facilement croire qu'Ouna est ici pour la même conscience des choses, pour le même espoir. Pour la même volonté. Pour que, malgré l'apparence paisible du soir, à travers la transparence magique du feu, un sortilège fasse son chemin. Pour que le temps, qui est rond, ne cesse jamais de s'enrouler autour de moi, à l'intérieur de moi. Pour que je n'oublie pas.

Je ne sais pas ce qu'ils ont mis, et qui fume à peine, dans la petite pipe de blé-d'Inde, mais soudain leurs dents sont trop blanches et leurs yeux sont trop grands. Plus je tire sur la pipe, qui a une drôle de senteur, un goût âcre, plus une lourdeur m'allonge sur le sable et je peux, tout à coup, toucher les étoiles avec ma main. J'ai traversé le lac. J'ai traversé le lac mais ce n'est que la première étape. L'accomplissement premier et qui ouvre la porte au pouvoir des autres accomplissements. Est-ce que je comprends bien le sens de l'envoûtement, Kanak ? Voilà qu'ils me regardent tous avec les yeux de grand-mère, des yeux qui dépassent le temps et les apparences.

Ils me couchent comme il faut, sur le sable, ma tête sur une grosse racine d'orme. Une ombre s'approche de mon visage, me couvre les yeux. C'est la main de Kanak qui fait venir le sommeil. Parce que c'est bien assez pour ce soir. Car, même si la lune est ronde dans son ciel, même si le mystère s'éclaire de jour en jour, pour moi, ce n'est encore que le commencement du temps voulu.

Comment fait-il, l'Indien, pour toujours tout savoir ? S'il vaut mieux risquer sa vie ou s'il est préférable de se taire et de laisser tomber ? Moi, je me sens continuellement ballotté par des choix qui ne m'appartiennent pas. Sa liberté est loin d'être entièrement disparue, comme on le prétend, puisqu'il décide à chaque minute s'il va continuer l'expérience de l'humiliation plus longtemps ou s'il va s'enfoncer encore plus creux dans la forêt, pour oublier et pour comprendre, tâcher de comprendre.

L'Indien prétend que c'est la solitude qui compte et que chacun doit l'affronter, dans cette vie ou dans une autre. Et que la liberté, on pourra en parler après. Quand on sera tous assez grands pour ne faire de mal à personne.

Chacun se défend comme il peut. Pris au piège, le loup se mange la patte et le voilà qui file au fond du bois, sur les trois pattes qui lui restent et à toute allure. De mon grand piège de pierre, de prêtres et de grégorien, saurai-je sortir et, avec ce qui me restera de force, fuir, fuir vers les espaces indemnes ? Grand-père, n'est-ce pas pire que tout, le séminaire, puisque c'est le néant déguisé en science, en prière, en sagesse ? Sort-on de là, grand-père, une fois qu'on y a mis les pieds ? Ou n'est-ce pas plutôt quelque chose qui sort de nous et qui, comme une fleur qu'on a coupée, pourrit ou sèche très vite ?

Aujourd'hui, grand-père, tout n'est que soupirs et halètements. Il y a des jours, comme ça, où me quitte la confiance, comme une magie épuisée.

Je suis encore dans la remise, dans ma prison douce. Le couteau que l'Indien m'a donné suit un rythme entraînant, inusité. Je sculpte quelque chose. Je ne sais pas ce que cette forme représente, mais elle m'obsédait et maintenant, à mesure que le couteau la dégage du morceau de bois, elle s'excite, elle s'impatiente, elle veut vivre toute seule, si vite. Drôle de visage. Mais est-ce un visage ? On dirait plutôt un soleil avec ses rayons par en dedans. Ou une lune, une planète fâchée qui se replie sur elle-même pour préparer un éclatement. Ou une pomme entamée par mille becs d'oiseaux voraces. Ou, mieux, c'est ça : une tête de curé, déchiquetée, défigurée par ses propres violences. Oui, oui : je lui massacre toutes ses chances de me faire du mal à ce futur maître de discipline. Et je lui coupe son plaisir malin, hypocrite, ici et là, et encore ici, plus d'yeux dans ses orbites, plus de nez, plus rien. Encore quelques coups de couteau et tu ne te ressembleras plus avant même d'avoir existé. Encore un coup ici et aïe !!!... Du sang ! Une brûlure si vive au poignet que le couteau a figé. Le vieux masque est tombé, souillé de mon sang et il me fixe toujours. Je ne crie pas. Simplement, je me mets à courir. A courir n'importe où avec mon cri à venir, mon cri coincé dans ma poitrine, prisonnier, comme un cerf-volant dans une clôture de piquants. Il faut courir pour faire passer le haut mal. C'est encore l'Indien qui m'a appris ça. Courir si vite que le vent siffle dans tes oreilles. Courir comme si des ailes avaient poussé à tes talons. Courir si fort que tes foulées ne sont plus des foulées mais des bonds et alors les arbustes et les clôtures sont un plaisir à voir défiler sous toi. Courir comme une flèche, rapide comme une idée quand elle est bonne et qu'elle passe de ta tête à ton bras sans le secours du temps. Courir comme l'éclair et imaginer ton envol possible dans les airs, fulgurant comme le décollage de l'aigle. Courir jusqu'à presque ressentir la peur de ne plus jamais pouvoir t'arrêter, l'ivresse de la limite dépassée. Enjamber chaque obstacle avec l'absolue certitude d'un vol et non plus simplement d'une course, d'une fuite. Courir comme si plus rien ne comptait que ce pouvoir en toi auquel tu abandonnes toutes tes forces et qui t'emporte. Puis, au bout de la course, quand tu sens que la douleur rouge commence à naître sous tes paupières, tu te dis qu'il va falloir atterrir, te déposer quelque part, et tu te prépares à lâcher toute la puissance encore en toi. Tu repères une butte d'herbe ou de sable et tu fonces, tu piques vers elle et tu t'abats sur elle de tout ton poids. Après, tu peux être sûr que l'esprit du mal n'est plus en toi. Tu l'as abandonné quelque part, dans le ciel et, libre, il s'est perdu dans l'air.

Je me suis écrasé sur la première dune de la baie et je souffle comme une tempête et je ris pendant que Pinceau lèche le sang déjà sec à l'entaille de mon poignet.

Sur la petite rivière aux serpents, la chaloupe avance toute seule. Le courant nous mène et, rien qu'en corrigeant le cap, de temps en temps, avec l'aviron, l'Indien maintient la barque au milieu du flot. Le fil de l'eau, donc, nous transporte. Dans tous les feuillages, les oiseaux nous épient en chantant, sans se méfier, comme sont les oiseaux quand on ne leur veut pas de mal. Si Kanak s'étire, son ombre dans l'eau contient quelques carpes, un morceau doré du fond de sable et aussi quelques huîtres avec leurs drôles de sillons en détours. Dans les joncs, déjà, les bébés canards ne sont plus des enfants. Ils en savent beaucoup, ils ont beaucoup appris en peu de temps. Les petits siffleurs avec leurs têtes girouettées. Les becs-scies avec leur couronne rousse toute échevelée et qui s'envolent brusquement pour venir nous frôler la tête parce qu'on a glissé trop près de leurs nids. Et le grand héron qui pêche rien que sur une patte et dont le large vol d'avion fera tout à l'heure une ombre immense sur l'eau, puis dans la chaloupe et enfin sur le dos de l'Indien, sur sa peau de cuivre. Accroupies sur les nénuphars, les grenouilles attendent la grande chaleur pour mieux savourer leurs plongeons. Et les senteurs de toutes les amours de la rivière ! Et l'absence de solitude qu'il y a partout dans le marais ! Sans parler de la lumière qui joue sur l'eau et qui m'oblige à fermer à moitié les yeux, ce qui fait que, soudain, tout est comme une toile que je composerais à mesure, sans oublier tous les détails voilés, tout ce qui vibre et tout ce qui se passionne dans l'herbe. Et tout ça entre en moi pour ne plus ressortir. J'ai cet apanage dont l'Indien, lui, n'a pas besoin, puisqu'il ne partira jamais d'ici, cette nécessité de regarder deux fois, attentivement, chaque parcelle du paysage, pour qu'elle s'imprègne, pour qu'elle s'imprime et ne me fasse pas défaut dans le souvenir dont j'aurai grand besoin bientôt. Si je ferme les yeux, automatiquement, mieux que sur une photographie, tout y est, à sa place, dans sa durable lumière, avec ses éternelles couleurs. Ce qui veut dire que tout y restera, paré pour les besoins du rêve et ce, jusqu'au temps voulu. J'ouvre à nouveau les yeux et le manège continue tout seul, réglé comme la course du temps. Le manège de ma mémoire. Pourquoi, grand-père, pourquoi faut-il qu'à chaque coup d'aviron, une heure, une journée, une semaine s'en aillent ? Pourquoi, comme un savant fou, suis-je obligé de tant prendre soin de ma mémoire ? Pourquoi, grand-père, oublier est-il si dangereux ? Le jour où grand-mère est partie pour toujours, je me souviens, grand-père, comme il a fallu te secouer pour que tu reviennes à la vie, aux habitudes, à ceux du clan, à ta chaise de mort. D'ailleurs tu es allé la rejoindre très vite. Tu n'as pas duré longtemps, tu l'as suivie de près dans les limbes. Dans la chambre, tout était couvert de soleil, même les visages des vieux cousins, venus de l'autre côté du lac et qu'on n'avait pas vus depuis le dernier incendie de l'église. Grand-mère est morte l'après-midi et la mort paraissait impossible, irréelle, dans une pareille lumière. Elle avait tout à coup retrouvé sa langue et des sortilèges sortaient de sa vieille bouche ridée comme des oiseaux devant lesquels s'ouvrait enfin la porte d'une cage. Toi, tu la regardais avec les mêmes yeux que tu avais pour moi, certains jours de grande découverte, dans la forêt. Les hommes murmuraient dans le grand salon. Il était question de meubles et du coin de terre qui leur revenait et d'autres choses encore que je n'entendais pas et qui circulaient dans les voix, comme des prières. Grand-mère, alors, s'est mise à lancer ses mots étranges, résonnants. Des cris qui s'étiraient, des sons qui n'avaient rien de barbare mais qui paraissaient si neufs, si mystérieux, que les voix des femmes du clan se taisaient dans la cuisine et qu'au milieu d'une pirouette s'arrêtait le jeu des petits cousins dans la cour. Que disait-elle, grand-père ? Plus tard, tu m'as dit que grand-mère délirait sur son lit de mort parce qu'elle était emportée dans une carriole tirée par six chevaux blancs, les six chevaux blancs de l'éternité. Comme c'était l'automne, de tous les feux d'herbes de senteur allumés par les siens tout le long du convoi, montait la fumée de la délivrance qui, en pénétrant par ses narines, achèverait de libérer l'âme de grand-mère avant la rivière. Parce que son âme devait aller rejoindre les âmes de tous les siens, dans le cimetière indien, avant que la carriole ne franchisse la rivière. Grand-mère désirait si fort que la mort vienne à temps pour que son âme demeure de ce côté-ci de la rivière, pour qu'elle aille se reposer dans la quiétude du cimetière d'en haut de la côte. Il fallait à tout prix que son âme demeure sur la terre, que la carriole maudite ne prenne pas le mors-aux-dents. Toi, grand-père, tu la comprenais très bien dans son délire de vieille sauvagesse en bataille avec les esprits de la mort.

— Inquiète-toé pas Titite, on va t'enterrer là !

Grand-mère disait qu'elle ne s'inquiétait pas de toi, grand-père, mais que c'était les six chevaux blancs qui avaient pris la belle épouvante et qui galopaient comme des fous, qui allaient au-devant de la rivière, sourds, aveugles, démentiels ! Il allait bientôt être trop tard pour les arrêter, trop tard pour que son âme s'échappe à temps, trop tard pour qu'elle aille rejoindre les siens, les morts Iroquois dans le cimetière d'en haut de la côte, de ce côté-ci de la rivière ! Et, un peu plus tard, ce jour-là, tu m'as dit : « Parle pas de ça aux autres, y comprendraient pas. » Comprendre quoi, grand-père ? Que nos images sont scellées, prisonniè-

85

res à l'intérieur de nous, menaçantes, grondantes ? Comprendre que la mort vient toujours trop vite, comme l'hiver ? Que notre langage est un code incommunicable et dangereux, comme le feu entre les doigts ? Que les esprits sont bel et bien réels mais païens et qu'ils terrorisent la chrétienté de nos maisons propres avec leurs croix et leurs rameaux au-dessus de chaque chambranle de porte ? Pourquoi, grand-père, toujours cette menace du temps et cette ignorance des lois ? Pourquoi cette prison du silence et cet enfer des vérités tues, muettes, tous ces beaux mystères qui n'ont plus leur place nulle part ? Et pourquoi, en moi, cette peur de la distraction fatale, cette peur de mourir pour de bon, loin de toute survivance ?

Kanak vient de lever le bras, alors je dois jeter l'ancre. Ici, dans le dernier coude de la rivière, on s'arrête à chaque fois. Parce que le courant ne court plus, la rivière s'étale doucement et l'ombrage des saules permet de manger, de rester tranquille, de s'allonger dans la chaloupe et de savourer le vent. Et puis, ici, rien ni personne ne peut déranger notre plaisir. Il peut s'emparer de nous librement, comme le mouvement de l'eau qui nous balance sans contraintes. Oui, encore une fois, l'Indien va me toucher, m'apprendre, me délier un peu plus. Ici, dans la paix du marécage grouillant d'oiseaux, dans le plus naturel et le plus beau lieu du monde.

C'est drôle, ma mémoire n'est plus nécessaire quand il me prend. Est-ce parce que le temps n'a plus rien à voir avec son odeur, avec ma chance, avec nos tremblements ? Est-ce parce que le souvenir de nos secousses et de la tendresse est instantané et sans danger d'amnésie ? Grand-père, est-ce ainsi, et seulement ainsi, que s'arrête la peur de disparaître avant le temps voulu ? Est-ce uniquement dans ces moments rouges et puissants que la menace du temps, que la menace de la mort n'a plus de prise sur nous ?

Sur l'eau calme de la petite rivière aux serpents, une chaloupe est oubliée en plein cœur de l'après-midi du trente et un juillet 1959. Une chaloupe dans laquelle, l'Indien et moi, en prenant tout le temps voulu, on invente l'ardeur qu'il faudra pour que, d'une façon ou d'une autre, cet été ne soit pas le dernier.

Plus tard, bientôt, perdu dans le grand dortoir des petits, avec ma main sur mon sexe et mon souvenir précisément rempli de toi, je serai encore capable, pour un temps, d'évoquer tes gestes, ta force et l'immense suavité de ta beauté. Malgré la brume grise qui suintera des murs et malgré les crucifix qui viendront fasciner mon sommeil. Mais, la ouate fibreuse de l'oubli m'engourdira de nuit en nuit et j'irai jusqu'à la fine pointe du doute en ayant pleine conscience de ma chute semblable à celle de l'ange après trop d'orgueil ou, pire encore, à celle d'Icare après trop de confiance.

Si c'est d'un poison qu'il s'agit, je le boirai jusqu'à la dernière goutte, pour que son effet soit éternel. Mais l'Indien est plutôt un philtre ou une potion magique. En tout cas, un remède. Un miracle n'arrive que par l'acte de foi qui l'appelle. Or, je désire mon obsession de lui et, comme une dent peut encore faire mal, même une fois le nerf tué, son souvenir me donnera sans cesse une névralgie presque douce et, sans répit, j'y reviendrai.

Car les temps changent en aggravant l'inaccompli, en exagérant le malaise. La mécanique de leurs lâchetés blanches les pousse à chercher ailleurs, dans la disparité houleuse du futur, leur chance de durer sans amour. Une hypothèse sans foi. Une gageure perdue d'avance. Avec rage, ils s'aventurent déjà dans le labyrinthe des doléances et des désillusions. Ils connaissent une certaine ferveur, nouvelle, complaisante, radicale. Ils brandissent leur infirmité. Ils ont le nez en l'air. Ils sortent d'un marasme. Ils émergent. Ils se lèvent, ils se dressent dans l'aube d'un jour nouveau. Ils sont arrogants comme ils l'ont toujours été. Ils se croient outragés, simplement parce qu'ils ont enduré et se sont prostrés. Maintenant, ils veulent que ça change. Ils désirent gagner. Ils veulent avec toute la méchanceté du temps qui a passé depuis qu'ils endurent et espèrent.

Cependant, même sous anesthésie, même engourdi par l'espoir nouveau, par la science rassurante du futur, le rayonnement de ce qui n'a pas eu lieu fulmine au fond de leur cœur et empêche la totale sincérité de leur amnésie. Et c'est de ce feu-là que leur lumière, que leur chaleur renaîtront. Peut-être.

Quant à moi, c'est avec la joie d'un chien trop longtemps captif que je fuirai en avant, que j'inventerai ma propre liberté.

Moi, jamais je ne me retournerai contre lui. N'y comptez pas !

— *You all act like sick people since the Spirit is no more in you* [1] *!*

— C'est pas facile l'Indien ! Comment veux-tu qu'on sache, qu'eux-autres sachent maintenant ? Y a trop eu de basses messes, de jours d'école, de télévision, de magasins à rayons, de mensonges !

Bien sûr, on ne se parle pas comme ça. Pas avec des mots comme ceux-là. Pas en ce moment. Pas encore. D'ailleurs, jamais. On se regarde et des mots comme ceux-là prennent naissance, se forment dans nos cœurs. L'avenir est au présent dans nos conversations au-delà du temps. On entrevoit déjà, l'Indien et moi, tout le mal qui adviendra. Parce que tout est déjà atteint par le virus de l'oubli. On sait déjà notre séparation et la douleur inévitable. Et ce n'est pas le pire. Le pire, c'est les jambes engourdies de tous ceux du village qui sont trop longtemps restés assis sur leur goût de se lever. D'une seule enjambée, ils ne savent

---

1. Vous agissez comme des fous depuis que l'Esprit vous a quittés.

pas qu'ils pourraient bondir, se dresser, naître. Et il leur serait facile de dire à l'Indien : je ne te piétinerai plus. Puisque la forêt ne contient plus assez d'arbres pour nous dérober l'un à l'autre, je te vois, maintenant je t'aperçois et je te reconnais. Tu n'es plus seulement un guide trompeur dans les réserves de chasse et de pêche. Tu es mon frère et tu possèdes cette sagesse du monde qui me manque. Tu fus si longtemps clair-voyant. Par ton rayonnement sourd, tu m'as empêché de me détruire. Et puisque je sais tout cela mainten-ant, avec certitude et reconnaissance, je n'entrepren-drai pas, aujourd'hui, de vouloir un pays qui ne soit pas aussi le tien. C'est ça le pire. Le pire, c'est que ça n'arrivera pas, cette géniale simplicité.

Cependant, une solidarité chaude nous attache l'un à l'autre, l'Indien et moi. Et c'est tout ce que nous avons, pour aujourd'hui et pour demain. Parce que des vibrations ardentes nous étreignent et nous main-tiennent ensemble aujourd'hui, on ne déplore pas encore l'injustice qui nous sera faite. Non plus que celle qui sera faite à toute la terre.

Tout peut bien s'écrouler, tant qu'on se tient, hein, l'Indien ?

— C'est ben simple, tu le reverras pus !

Ce sont eux encore qui essaient d'empêcher ce qui doit être. Comme toujours. Comme il se doit. Ne pas broncher. Continuer de fixer le grand sapin dehors, ou continuer d'imaginer mais surtout ne pas les écouter, ne pas les entendre.

Ce matin, les vêtements neufs sont arrivés, commandés par catalogue. Principalement, un petit veston de serge avec l'écusson en latin et en or sur la poche droite. Puis des pantalons gris, semblables à ceux de mon père. Puis une fortune de beau linge immaculé, enveloppé dans du papier neuf lui aussi. Je suis un nouveau prisonnier à qui on remet sa bure et son linge de nuit mais qui ignore toujours son crime. Innocent, je serai quand même enfermé et pour longtemps. Tout est décidé, organisé. Mes bulletins de la petite école sont déjà entre les mains des curés qui évaluent mes chances de salut, quelque part, dans un bureau capitonné, entre les murs de l'enceinte.

Dehors, le vent balance les arbres à sa guise. Dehors, rien n'est immobile. Alors qu'ici, dans la cuisine, je suis de pierre, de glace, statue de sel à force de m'être retourné pour regarder derrière moi, le seul temps qui me fut bon.

Il faudra maintenant voir l'Indien en cachette. Il faudra maintenant commencer à inventer des stratagèmes pour leur échapper, à mentir. Dehors, le vent se lève et gonfle le gros sapin. Même les bouleaux s'énervent de toutes leurs branches. Toujours le vent se lève quand moi je paralyse, je pétrifie. Je me suis incrusté dans une marche de l'escalier pour leur être étranger, comme une chose, comme un objet familier. Pour leur paraître insensible surtout. Dans leur monde, toute apparence fait illusion, alors ils me laissent tranquille. On ne s'acharne pas sur un rocher abrupt. On le contourne, on l'observe, on décide de son éclatement, on arrange son dynamitage, mais on ne se fracasse pas contre lui avec cris et exhortations. Il est de pierre, le rocher.

En ce moment, pendant qu'ils dansent autour de moi la danse froide des préparatifs, avec révérences et petits cris, l'Indien est quelque part dans la forêt où sur la rivière à vivre, à courir, à nager, à suivre le vent. Peut-être se laisse-t-il dériver, dans la chaloupe, par le courant de la rivière, un peu en amont de la butte du Bria, comme il aime souvent le faire, rien que pour sentir toute l'eau bouger sous lui, faire tous les efforts de la navigation à sa place. Peut-être est-il jusqu'au cou dans l'eau à chanter sa drôle de chanson du matin. Peut-être aussi que l'Indien est avec les siens, avec

Ouna, avec Nicolas, avec Gordon, en train de pêcher au bout du quai ou dans le creux de la baie. Comme des étincelles blanches échappées du soleil, les oiseaux de la rivière dessinent, au-dessus de leurs têtes noires, une auréole toute en spirales, une fête de plumes et d'indépendance. Les oiseaux sont tellement chanceux : quelques battements d'ailes et ils ne sont plus qu'un point blanc, minuscule dans le ciel, un point blanc impossible à capturer. Fort du pouvoir de ne jamais rester immobile, l'oiseau n'a jamais peur. C'est toi, grand-père, qui me l'as dit avec tes mots simples, si faciles à comprendre.

Ils ont mis une photographie de toi, grand-père, dans le coffre, avec mes oripeaux de séminariste. Tu es assis sur une butte de sable et tu regardes l'infini, avec ton regard cérémonieux. Croient-ils donc que j'aurai besoin de cette image pour te savoir absent, grand-père ? S'imaginent-ils que ton visage, parmi mes guenilles de petit curé, me rendra la soumission plus tendre, la trahison plus douce ? Ils ne connaissent pas notre parenté, eux qui sont sortis de toi plus directement que moi, grand-père. Ils portaient tes désirs, ta vie en germe pour moi, comme on transporte un microbe ou une maladie sans pouvoir l'attraper soi-même. Et maintenant, je suis vacciné et ils ne peuvent plus rien contre moi.

Pour me sortir de ma torpeur, ils font parader mon frère dans le beau linge, pour me convaincre de ce grand privilège qui m'attend. Ils me montrent ma disgrâce en voulant me prouver ma chance. Ils voudraient que je comprenne ma bonne fortune : je pourrai devenir ceci ou cela de prestigieux, et encore, peut-être même ceci et cela dont je me moque comme d'une vieille pomme pourrie. Si j'écoutais ces mots-là, je sais qu'ils trancheraient, en entrant en moi, les fils trop tendres de ma marionnette. Alors, je m'écraserais, je me répandrais sur le plancher de la cuisine et une grimace amère déferait le beau masque que j'ai eu tant de mal à fabriquer. Toute ma vulnérabilité entre la table et le poêle, à leurs pieds, à leur merci. Ils ne comprendraient pas davantage mais j'aurais droit à des douceurs qui ne signifieraient rien, puisque le seul miracle que j'attends et que jamais je n'obtiendrai d'eux, c'est la permission de rester ici, de vivre avec l'Indien pour le restant de mes jours !

Je regarde mon frère faire le clown dans le bel uniforme. J'aurai, moi aussi, bientôt, cet air étriqué, ces gestes faux, cette prestance de bouffon travesti en petit saint ? Ce sera moi, cet automate à prières et à simagrées ?

Et demain ?

Descendre l'escalier, pieds nus, pousser la mousti-quaire d'un bon coup de talon, connaître déjà les premiers frissons du jour sur toute ma peau, sentir mes yeux piquer parce que la rougeur du soleil d'août est si aveuglante qu'elle réveille brusquement, puis, sauter dans l'herbe, filer vers le bord de l'eau, silencieusement, pour ne pas faire aboyer Pinceau qui dort près de la chaloupe...

La fuite au matin me donnera des ailes, du ressort, une habileté qu'on ne me connaissait pas : celle de tout faire en douce. De toute façon, vu le petit whisky blanc de leurs veillées, ils ont le sommeil têtu. Et puis, sans savoir, ils m'apprennent les mécanismes de mes futures fugues hors de l'enceinte. Elle est palpitante toute cette liberté gagnée de force et encore devant moi pour toute une fin d'été !

— Est-ce que je peux m'endormir en te racontant une histoire ?

— Oui, grand-père. Mais tu vas revenir ?

— Inquiète-toé pas. Je reviens tout le temps, tu le sais ben !

— Je t'écoute, grand-père !

Il a tellement besoin de sommeil, grand-père ! Du fond de ses limbes, sa voix me parvient tout embrouillée par les nombreux nuages du temps et de l'espace. Mais je l'entends quand même. Elle est fatiguée, sa voix. Fatiguée de toujours raconter la même histoire, le même rêve que j'écoute, bien assis sur sa chaise de mort, dans le grenier. Le récit commence toujours par une complainte qui vibre, comme une lamentation, dans sa voix.

> « Je suis garçon dans le monde
> je suis garçon délaissé
> j'ai perdu l'espoir du monde
> en perdant ma bien-aimée... »

Après, grand-père souffle un peu, parce que la

chanson l'émeut trop. Ensuite, il parle et ses phrases montent et descendent, selon la joie ou la douleur.

— Vois-tu, ti-gars... une liberté qui chemine dans le sang, c'est l'affaire la plus violente pis la plus fragile en même temps... C'est facile de la briser pis c'est pourtant impossible de la briser complètement... Même après la mort, on reste embarrassé d'un grand nombre de désirs, et des visages nous hantent jusque dans le froid des os... Ta grand-mère, moé, la savane pis le temps d'une vie, ça fait pas mal d'images, ben de l'espoir pour finalement si peu de temps... Parce qu'on est transitoires, comme les saisons pis que la réalité des choses, elle, demeure. C'est ça, la malédiction. La malédiction, c'est que le village est plus fort que l'amour dans la vraie vie, ti-gars ! Ça fait qu'un rêve, toujours le même, m'a suivi jusqu'icitte, dans mon espace sans étoiles...

— Je le connais par cœur, grand-père, ce rêve-là !

— Attends ! Laisse-moé le dire encore ! Faut faire venir l'endormitoire, sinon m'a finir par me croire dans l'enfer pour de vrai pis pour l'éternité !

— Oui, grand-père.

Alors, je me recroqueville dans la chaise de mort et, de tout mon corps, j'écoute.

— Grand-mère pis moé, on a attelé Baptiste. La carriole est toute propre pis blanche dans la cour pis les cloches sonnent dans le clocher de l'église, à vouloir partir au vent !... Grand-mère est tellement belle, ti-gars, avec ses grands yeux noisette, ses épaules dorées pis les ruisseaux de cheveux noirs qui y tombent sus toute le dos. Tous ceux de la noce attendent près de l'église. Toute ma parenté endimanchée, avec des fleurs de l'année dans toutes les chevelures de femmes pis le soleil qui joue sus le vernis des souliers neufs. Y sont toutes là qui nous espèrent comme des bons... Seulement, on ira pas, c'est décidé depuis la veille. On va prendre le chemin de la commune, celui qui mène en haut de la côte. C'est là que la noce aura lieu. Dans ce temps-là, c'était pas encore la réserve, mais la savane à perte de vue. Pis comme c'est le printemps, la savane est en amour par dessus la tête... Les sœurs de ta grand-mère ont fait un lit d'aiguilles de pin pis de sapinage doux au creux des grosses racines... Baptiste trotte pas ben vite, tu sais ça, pis pourtant, faut absolument qu'y nous voient pas passer devant la place du marché qui donne sus le carré de l'église, parce que là, notre affaire va foirer... Mais tu connais ta grand-mère, al 'a pensé à toute ! Dans le darrière du boghei, y a des vieux manteaux qu'on se dépêche de se mettre sus le dos pour avoir l'air des guenillous, t'sais ben, ceux-là qui viennent tous les mois de mai pour acheter les vieilles affaires, les vieux chapeaux, pour les transformer en butin neuf... Oh, tu sais qu'on est nerveux là ! Dans ce temps-là, manquer la noce d'église, c'était plus qu'un péché, c'était risquer de se faire lancer des roches par toute la population, pour le restant de ton règne ici-bas !... Ça fait que grand-père avait les genoux serrés pis le cœur y cognait sur un méchant temps dans la gorge !... Mais figure-toé qu'on passe comme si de rien n'était ; la place du marché, la croisée du chemin de l'église pis de la grande rue, l'hôtel du coin, on franchit tout ça sans qu'y ait une tête qui se retourne pour nous dévisager ! Rendus dans le pied de la côte, te dire ti-gars comme on était fiers de notre coup !

— Pleure pas, grand-père !

— Laisse faire, laisse faire ! Des larmes, y m'en reste plus qu'y n'en faut, plus que j'en aurai jamais besoin dans c'te vastitude ennuyante ousque j'achève mon temps, sans ta grand-mère. Parce que c'est pas vrai qu'on retrouve ses amours après la mort ! Toute ce que tu retrouves, c'est la tyrannie du souvenir, encore plus brûlante que du temps que tu vivais... Mais, pour t'en finir, toujours que là, toute est devant nous autres ! La savane brille tellement on est chanceux ! Les cloches sonnent encore mais c'est pas long que le chant des pluviers les enterre. Ah, j'te dis que j'ai le cœur serré là ! Parce que, malgré que j'sois heureux comme jamais, j'ai peur aussi, parce que je l'sais que j'pourrai plus jamais revenir ! J'sais que le village nous pardonnera jamais nos noces impies. J'sais que l'église pis la p'tite école, ça sera pas pour mes enfants !... Mais, vois-tu, ti-gars, ta grand-mère est tellement belle que j'oublie vite tout ça. Ti-gars...

— Oui, grand-père ?

— Ti-gars, la savane, c'te printemps-là, c'est ta grand-mère qui l'avait dans les yeux !...

C'est la fin. Après, il se met à pleurer à grosses gouttes, puis, il s'endort et le craquement des berçants de la chaise de mort se tait. Moi, c'est l'heure où je me réveille tout à fait. Parce que le rêve de grand-père me pousse à remplir ma journée de toutes sortes de nouveautés palpitantes qui me suivront dans la mort, comme des beaux fantômes.

Le rêve de grand-père date du printemps 1912. Ça dure longtemps, un rêve. Surtout quand c'est une belle sauvagesse qui vous l'a mis dans le sang, hein, grand-père endormi ?

D'abord, vider la chaloupe parce qu'il a plu dans la nuit. Ensuite, faire monter Pinceau qui se dépêche, vu qu'il a l'habitude, puis, pousser la chaloupe, la faire glisser sur l'eau. Du bout du pied, bien donner l'élan pour ne pas rester échoué sur le haut-fond de sable. Et après ? Après tout le temps du monde est à moi puisque je sais que l'Indien m'attend sans compter les minutes, là-bas, au creux de la grande baie. S'il a son harmonica, Pinceau poussera des plaintes comiques en penchant la tête, comme pris d'une soudaine névralgie. Mais moi, ça m'aidera à le repérer. Je n'aurai qu'à suivre les notes qui flotteront sur l'eau. S'il est déjà dans la rivière, son corps brillant dans le courant jusqu'à l'épaule, c'est lui qui échouera la chaloupe sur le sable encore rose. Il me dira sûrement : « *You'r doing better every day !* » Parce que j'avironne bien maintenant. Il m'a enseigné comment sentir la poignée dans le creux de ma paume, comment bien balancer, souplement, la rame, sans poids, puis comment la faire passer de l'autre côté, sans hésiter, au-dessus de la chaloupe, puis comment la plonger juste assez creux dans le courant et ainsi de suite pour que ça aille tout seul. Comment, aussi, faire tout cela sans bouger tout le corps. Garder le torse droit fait entrer en toi la puissance du matin.

J'avance sans efforts et je regarde partout. Je vois le matin recommencer encore et la joie tourbillonner dans l'air. Les insectes-patineurs tournent en rond, mais à toute vitesse sur l'eau, pour déjouer les gueules des barbottes. Des libellules se frottent contre les joncs et leurs ailes mauves sont pailletées d'or, pour rien, pour le plaisir d'accueillir la lumière, la chaleur. Si je passe trop près de la talle de saules, Nazaire me verra. Alors je prends du côté des nénuphars. Derrière les herbes, je sais que Nazaire guette d'un œil, mais du bon, le saut des brochets et je sais aussi que ce matin, pour lui comme pour moi, la paix de la rivière est encore neuve. Une petite brume me cache le village et c'est très bien ainsi. Ils sont cachés de toute façon, enfouis dans les ténèbres d'un rêve impossible à vivre. Le village n'est plus que sa rumeur tranquille derrière moi, dans mon dos.

Déjà quelques caches sont montées pour la chasse aux canards. Deux petites cabanes, faites de branches de cèdre, se dressent, comme deux fausses îles de chaque côté de la chaloupe. Si l'Indien est avec les autres, ils crieront du fond de la baie et son cri à lui, dominant les autres, me couvrira de frissons. J'imagine tant de façons de le découvrir, à chaque fois, que celle qui advient reste toujours nouvelle. J'entends déjà remuer les branches à l'orée du bois de la grande plage. Il est là ! Mais... Quelles sont ces ombres qui courent dans le marais ? L'une, c'est la sienne, mais l'autre ? Je rame plus vite mais tout aussi silencieusement, comme il m'a appris. Il se passe quelque chose sur la plage. Quel combat bizarre entre sa silhouette à lui et une autre, étrangère, qui court devant ! J'ai vite fait d'attacher la chaloupe aux branches et j'épie de toutes mes forces. Mais c'est Ouna ? Un grand malheur est sur la plage puisqu'ils crient tous les deux, comme des perdus. Soudain, les deux ombres s'écroulent sur la grève et le sable étouffe leurs voix. Cependant, je les vois mieux maintenant. Mais qu'est-ce qu'ils font ? Kanak est derrière Ouna et il la tient, il l'entoure de ses deux bras à la hauteur de la respiration. Ouna grimace et je ne peux pas voir si elle crie, si elle rit ou si elle pleure. Si c'est un jeu ou si c'est un sinistre. De gros spasmes lui soulèvent le ventre et ses jambes sont toutes grandes ouvertes. Son corps est couvert de sueur et de sable et... Mais c'est du sang ! Là, entre ses jambes, du sang noir et gluant ! Elle va mourir ? Pourtant, l'Indien, lui, semble très calme. Il enserre soudain très fort, puis, tout de suite après, très doucement, la poitrine d'Ouna. Ses deux grandes mains font, sur le ventre de l'Indienne, comme le boulanger quand il pétrit le pain. Cette fois, j'ai bien entendu le cri d'Ouna et je vois, dans la baie de ses cuisses, un morceau de chair rouge et noir sortir, jaillir tranquillement de son ventre, au ralenti, comme naissent les fleurs au cinéma. Soudain, Ouna se redresse un peu, puis elle se met à tirer sur cette forme visqueuse pendant que Kanak presse le ventre doucement avec ses mains. Le visage de l'Indienne ne ressemble à aucun visage humain. Et voilà qu'au bout d'une corde, ensanglanté, immobile, un bébé est apparu. Kanak se lève après avoir déposé doucement la tête d'Ouna sur le sable. Il vient prendre l'enfant par les pattes et il le secoue, comme on fait avec une branche pour faire du vent. Le bébé alors se met à crier et l'Indien le dépose délicatement sur le ventre de la mère. Puis il se met à bondir comme un cheval fou pendant qu'Ouna, la nouvelle, caresse l'enfant qui dort sur elle un moment. Dans le sable, le sang a déjà pénétré. Sur la grève, dans la lumière du matin, la naissance a eu lieu sous mes yeux. Le soleil est monté plus haut et il réchauffe maintenant la mère et le bébé. Kanak, délivré de son trop-plein, est venu s'accroupir auprès d'eux. Il sort un long couteau d'un sac de cuir puis il tranche le cordon d'un coup. Ni Ouna ni l'enfant ne réagissent.

Moi, j'ai les jambes molles. Je vais tomber dans les joncs, ou je vais vomir ou bien je vais sauter à l'eau pour changer mes frissons de place. Ouna vient de mettre au monde son enfant, sur le sable, et j'ai tout vu, même si ça s'est passé très vite, comme dans un rêve. J'essaie de me lever mais j'ai une tonne de plomb à la place des mollets. Kanak alors m'aperçoit. Il court vers moi, sur la grève, en faisant éclabousser l'eau sur ses jambes, sur sa poitrine.

— *Come and see the baby !*

Il rit, l'Indien, en voyant ma pâleur. Puis il me prend par le bras et m'entraîne. Je cours sans savoir comment. Couchée sur la grève, Ouna me donne un sourire comme je n'en ai encore jamais reçu. L'enfant, encore tout souillé de sang, boit à son sein. Pinceau s'amuse à lécher les mains d'Ouna, qui se laisse faire.

— *Let's give him a bath !*

Tendrement, il prend l'enfant et, tout en le tenant fermement, il le plonge dans une vague en tenant bien la tête hors de l'eau. Je me sens soudain très mal. Des étoiles noires me piquent sous les paupières. Ça y est : pour la première fois de ma vie, je perds connaissance. Ici, au bord de l'eau, sur le sable.

En coulant avec moi dans l'abîme, les rires des deux Indiens et les cris de l'enfant s'éteignent doucement.

Depuis que leurs rêves passent tous les soirs, en noir et blanc, à la télévision, ils ne s'intéressent plus qu'à ces nouvelles images de leur ancienne peur. Cette peur qui continue de s'enrouler comme une couleuvre autour de leurs désirs, pour les étouffer. Il est de plus en plus à la mode de se montrer affirmatif et raisonnable. C'est-à-dire : beau parleur et insensible. Le temps est à l'attention, au garde-à-vous, le temps est à l'abolition des vieux songes de forêts et de chantiers, ces espaces hallucinants qui en ont perdu plusieurs. « Y faut que ça change ! » Il faut avancer et que la mémoire n'entrave pas le chemin de l'avenir. Il s'agit de ne garder, en guise de regret doux et folklorique, qu'un « je me souviens » bleu et blanc, tout juste bon pour les touristes et pour quelques rêveurs. Car, se souvenir, ce serait continuer une vérité disloquée, pourrissant sous l'amas des erreurs innombrables.

Aujourd'hui, dans la grande rue du village, des banderoles balancent dans le vent. Elles illustrent, en grandes couleurs, tout un nouveau vocabulaire.

— Vive le changement !
— Fini le passé !
— On veut être maîtres chez nous !

Aux branches basses des ormes, pendent quelques enfants qui font une fête de cet événement officiel, ennuyeux. Comme tous les enfants, ils inventent un carnaval à la moindre étincelle. Tant mieux pour eux. Chez les adultes, faute de fierté, la tête en l'air et les hauts cris font l'affaire. Seuls, sur quelques galeries, certains vieux, bien plantés sur leurs jambes encore solides, doutent en branlant la tête. Les autres gesticulent avec gaîté. Ils abandonnent leur jugement sans plus chercher : en voilà des capables et des décidés, laissons-les organiser l'avenir.

Près du quai, leur convoi ralentit. Les Indiens sont presque tous là, en train de pêcher, offrant leurs dos. Une telle attitude ne signifie pas seulement qu'ils ne veulent rien savoir mais surtout qu'il est bel et bien trop tard pour les promesses. D'une longue voiture, descend un homme chapeauté de rouge. D'un pas de grand seigneur, il s'approche du quai. Franchissant les curieux, le voilà qui s'éloigne en direction des Indiens, sur la jetée de pierre. Aucun d'eux ne tourne la tête pour le voir venir. Soudain, les murmures ne vibrent plus dans l'air. Tous attendent, comme ils font le dimanche, à l'église, entre deux commandements du curé. L'homme libéral vient de saisir une ligne à pêche. Il la lance à l'eau et se met à attendre, lui aussi, souriant de toutes ses dents. La pêche est plutôt mauvaise depuis le matin, alors, c'est long, ça n'en finit plus, cette attente. Le village est suspendu aux gestes immobiles sur le bout du quai. L'été, l'univers entier, tout le monde attend que s'anime la pantomime. Soudain, la corde tire, la perche plonge et l'homme libéral, en gesticulant, s'écrie : « C'est un gros, les amis ! » Les Indiens, qui ne sont pas ses amis, ne remuent même pas le cou pour voir l'homme libéral forcer comme un diable, car la ligne n'a pas de moulinet. Il se donne un mal de chien. Finalement, pris d'impatience, le voilà qui trébuche. En moins de deux, il a plongé comme une roche dans l'eau sale du bout du quai. Les curieux accourent, crient, s'exclament. L'homme libéral hurle dans l'eau.

— Au secours ! J'sais pas nager !

Mais c'est Kanak, rapide comme l'éclair, qui a plongé le premier. L'Indien ramène l'homme libéral sur la terre ferme. Ruisselant, furieux, l'homme libéral se met à haranguer les sauvages.

— Maudites têtes dures de sauvages ! Sans-desseins-de-fous ! Épais !

Et il a la parole beaucoup plus facile que tout à l'heure, sur sa tribune.

Au bout de la ligne, un doré frétille. Un beau poisson et qui lance des éclairs. Kanak le décroche et l'offre à l'homme libéral mais celui-ci lui tourne le dos. Les autres Indiens pêchent toujours et, sans souligner l'affaire, simplement, ils sourient. Les villageois escortent le pauvre rescapé jusqu'au presbytère tout proche où il se séchera. Peu de temps après l'incident, ça recommence à mordre sur le quai. Au large, entre deux vagues bleues, flotte un canotier rouge qui a l'air hésitant.

Oui, grand-père, c'était drôle. N'empêche que je comprends aujourd'hui que ce n'est plus possible. Dans l'avenir, même libéral, il n'y a pas beaucoup de chances que ça se rétablisse. Eux, dans leurs convois, triomphants, imbéciles, possédant déjà le futur, et l'Indien dans sa cabane, dans sa légende, inquiétant mais vaincu. Le malentendu ne peut que se lover sur lui-même en vue d'un éclatement futur ou d'un coma perpétuel. L'histoire est passée tout droit. Comme le cortège libéral qui s'engage maintenant dans le chemin du rang de l'Annonciation, qui évitera la commune, la savane, la réserve.

Personne n'a labouré la forêt. On ne l'a pas ense-
mencée et pourtant, tout continue d'y naître et d'y
pousser. Moi non plus, on ne m'a pas encore labouré.
On n'a pas encore semé, dans ma tête, les graines de la
certitude blanche. Cependant, bientôt, on va défri-
cher ma terre vierge. On va la renverser et, définitivement, y enfoncer les semis de la destruction. Ma terre
alors fera-t-elle pourrir leurs fruits ou les laissera-t-elle
pousser, venir au soleil, comme autant de fleurs
empoisonnées ?

Je ne veux pas aller au séminaire. Larmes et cris n'y
feront rien, je le sais, mais qu'ils connaissent leur
tyrannie : je ne veux pas y aller ! Je veux rester intact
sous le soleil et parmi les saisons, comme le jardin de
grand-père redevenu sauvage. Aujourd'hui, peut-être
parce que je n'ai pas vu l'Indien depuis plusieurs
jours, je me suis laissé aller à l'espoir insensé. J'ai
gravé, avec mon couteau, ces mots sur le mur de la
remise : JE NE VEUX PAS Y ALLER !

Sans doute y sont-ils encore, mais ils ne signifient
plus rien maintenant. Il est trop tard.

Sur le dernier ballot de foin, au sommet de la charrette, je prends le vent. Le voyage est plus que comble, alors on avance lentement et ça donne du temps. Du temps pour voir l'orage s'en venir. Du temps pour respirer et penser à lui. Le fond du ciel est violet du côté de la montagne. L'orage gronde, roule et résonne, comme la mort dans les tuyaux de l'orgue de l'église, le vendredi saint, à trois heures. Je frissonne pour tant d'orages intérieurs dont celui-ci, quand il explosera dans l'air, ne me délivrera pas. Provisoirement, quelque chose éclatera. C'est tout. C'est le septième jour, aujourd'hui, que je passe sans le voir. Après sept jours, m'a dit l'Indien, je vais te chercher. Est-il contenu, en chemin vers moi, dans ce gros nuage, couleur charbon, qui avance lentement sur nous et dont l'ombre couvre déjà tout le fond de la terre ? Je n'ai plus de bras, plus de jambes. Je suis fatigué d'une fatigue plus grande que la fatigue des muscles. Toute la journée, chambranlant dans la charrette, j'ai cordé les ballots de foin avec ma nouvelle maladie dans les veines : la rage. C'est que j'ai choisi le plus difficile : me taire. Ma liberté a ses terribles exigences. Mille cris ont gonflé ma poitrine toute la journée mais je n'ai pas ouvert la bouche pour les crier. Pas un mot, pas même une plainte, un mutisme parfait. Quatre-ving-huit, quatre-vingt-neuf, quatre-vingt-dix et entre chaque ballot, son image ravagée, son visage en sang, son absence. Dans les pulsations, au creux de mes paumes meurtries par les cordes, la douleur était faite de colère et de pitié. Un cyclone ou une tornade me sauverait alors que ce petit vent traître, petit vent de rien, vent trop doux, cette brise achève de m'étouffer. Se savoir esclave ajoute à la peine déjà grande de se savoir tout seul. Je fais leurs foins, je conduis leur tracteur mais le désespoir que j'endure est à moi et rien qu'à moi. Il n'y a que ça pour m'appartenir si fort.

Les premiers éclairs fendent le ciel au-dessus du bois d'érables des Saint-Pierre. Viens-t'en, ouragan, pour que cesse ton attente en dedans de moi, mêlée à l'attente de l'Indien, pour que soit lavée ma misère, nettoyée ma fatigue, abreuvée ma honte !

— Tu traînes ti-gars !
— Ousque t'as la tête donc toé ?
— Attention, ça va débouler !
— Femmelette !
— Séminariste !

Mourir me serait plus facile que tout ça.
La première ondée coule du gros nuage, légère

comme une bruine, même pas fraîche, tiède comme une sueur. Pourvu qu'il ne passe pas tout droit cet orage ! J'en ai besoin, comme d'un coup de fouet, pour continuer de haïr, pour attendre. En bas, ils s'énervent. Si la pluie vient trop vite, la récolte est gâchée, le foin pourrira. Quelle joie vive, le foin pourrira ! Toute méchanceté à moi, nouvelle, m'é-blouit. L'odeur sulfureuse qui a traîné toute la journée dans l'air m'a donné mal au cœur. Et voilà que, sans prévenir, ma mémoire se remet à fonctionner toute seule, déclenchée par le balancement de la charrette. Je me revois assis près de toi, grand-père, sur ce même ballot de foin, au sommet de cette même charrette mais dans la lumière chaude, dans la lumière aimante, au cœur du beau temps qui n'est plus. Tu ne fouettais pas Baptiste, aucune récolte ne menaçait de pourrir, aucune douleur en route dans le ciel, aucun orage en vue. On te laissait mener le foin à ta guise et selon les cahots du chemin. Tu me parlais, on avait tout notre temps et je t'écoutais. Tu me disais l'espoir en insistant sur ma chance, ma seule chance, mon unique chance, ma jeunesse. Tu me racontais l'ancien temps, la tristesse des sauvages, la haine et la brutalité des autres, l'incendie de l'église, le premier, énorme dans le ciel du village, l'éboulement du sable de la commune, tous ces malheurs qu'ils provoquent au village avec leur religion sans foi, leurs lois sans bon sens, leur mépris, leur bonne conscience, leur goût du progrès, comme une salivation empoisonnée qui

leur remonte constamment dans la bouche, un rumi-
nement acide qu'ils crachent, comme du venin, sur le
passage des Peaux-Rouges. Tu me faisais rire aussi
parce que ta complicité transparaissait à la moindre
histoire louche : un chaland qui dérivait avec toutes
ses voitures, parce que l'Indien s'était endormi en
conduisant le bateau, le grégorien soudainement iro-
quoisisé du vieux Jacob, soûl, au jubé, un dimanche
des rameaux, une belle bataille à l'hôtel du village, un
soir que leurs femmes étaient venues chercher les
Indiens, leurs maris, qu'elles ramenèrent par la peau
du cou, comme des chatons. Tous ces contes chan-
taient dans ta bouche à cause de mon plaisir et aussi
parce que la charrette sautillait sur le chemin de la
commune. Tu ne te taisais qu'après un souvenir de
noyade ou de malédiction. Alors, je te secouais par la
manche et tu me regardais et tu savais que tu pouvais
pleurer avec moi. Tu m'aimais, grand-père ! Je le sais
tellement aujourd'hui que je suis tout seul à inventer
la suite.

Le premier coup de tonnerre a fracassé l'air si fort
que le tracteur s'est arrêté. Ils courent tous se mettre à
l'abri dans la grange des Saint-Pierre. Moi, je ne
bouge pas. Si je suis foudroyé, ils verront bien que
j'existais ! Mais si je reste, c'est surtout parce que ma
mémoire ne veut pas s'arrêter. Même menacée du feu
du ciel, elle continue son manège étourdissant. Soudain, tes récits, grand-père, prennent un sens magique, ici, au beau milieu du champ, sous l'orage. A

chaque détonation, une parcelle de mémoire fait surface et vient m'ensorceler. Je suis double : je suis ici, dans la charrette, sous la pluie, et je suis là-bas, avec toi, dans le souvenir. Le grand pouvoir de la foudre c'est qu'elle traîne avec elle, dans la plaine, une délivrance possible. Oui, mon cœur bat à vouloir éclater parce que je sais maintenant que je le verrai ce soir ! J'en suis sûr : toujours, grand-père, toi et lui vous êtes ensemble, pour je ne sais quelle prophétie. « Un beau jour, quelqu'un viendra qui t'enseignera comment on doit vivre, en harmonie avec ce pour quoi on est né, parmi ce dans quoi on est né. Moi, je m'en retourne. Ta grand-mère m'attend depuis si longtemps, dans l'ombrage doux des pins, au-delà du temps. Toi, veille et veille encore et dure et dure longtemps ! Nulle prison ne peut contenir la force d'un désir. Indomptable, il se cabre et aucune muraille, si haute soit-elle, ne résiste à ses ruades. On n'emprisonne pas le vent. On ne retient pas la foudre. On n'enferme pas le temps car, même pris dans les mécanismes d'une horloge, il passe, il court, il fuit vers ce qui échappe à tous ceux du clan, vers ce qui doit advenir. Sur le cadran de la grosse horloge du grenier, ti-gars, les aiguilles ne sont jamais fixes. Elles travaillent pour toi, elles jouent en ta faveur, elles garantissent ton passage, ton échappée au-delà d'aujourd'hui, plus loin que tes doutes, plus fort que leurs liens, plus haut que leurs murs. Tiens-bon ti-gars ! Ils ne t'attacheront à rien de solide, ils ne te mettront nulle part d'où tu ne pourras ressortir avec ton désir intact, pur, cristallisé pour toujours et fort comme le cou du cheval. Laisse-les s'inventer une autorité, c'est tout ce qui leur reste de l'ancienne force primitive, comme un débris. Laisse-les psalmodier, jaser, feindre la connaissance. Ne t'attache à rien encore. Consens à la chute libre, puis entravée, puis libre à nouveau, du temps. Suis le courant, ton courant, comme fait la rivière, au printemps, quand ses eaux sont plus fortes qu'elle et l'obligent à se perdre entre les rochers. Tout ce qui ne dure pas est signe d'éternité quelque part ailleurs. Alors, poursuis ton rêve sans craindre les réveils brusques car sans cesse il reviendra t'ensoleiller le cœur. »

Après le dernier coup de tonnerre, dans sa résonance sourde, je suis descendu de la charrette. Maintenant, je marche comme un somnambule vers l'orée du bois. S'ils me regardent, depuis la grange, ils doivent croire à une manifestation divine ou satanique, car je suis sûr qu'une brillance est au-dessus de ma tête, comme sur les images saintes. Puis, brusquement, jambes à mon cou, je file dans le sentier de sable en direction de la baie. J'ai regagné tant de force pendant cet orage ! Quand ma mémoire vient me délivrer, je peux courir longtemps sans m'arrêter, je peux fuir.

Au pied de la grande côte, immobile, l'Indien m'attend.

Les arbres de la grande baie ne sont plus que des silhouettes entortillées. De longs signes bizarres sur le fond rose et gris du ciel. Le soir ne descend pas, il monte de la terre avec des senteurs nouvelles, mouillées. Septembre n'est plus très loin. Déjà, il apparaît au centre des feuilles, comme une rouille. L'Indien joue sur son harmonica un air qui fait mal. Si je savais chanter, je connais par cœur la chanson qui sortirait de moi et qui flotterait longtemps sur le lac, se mêlant à la voix du huard, sa voix comme un gémissement. Cependant, même avec cette multitude de notes coincées dans ma gorge, je sens quand même se dissoudre, au fond de moi, la peur, parce que je dormirai, pour la première fois, toute une nuit avec lui. Je sais qu'ils me chercheront au village avec indolence et énervement, comme il se doit. Et je sais aussi qu'ils ne me trouveront pas, qu'ils préféreront inventer une punition, ce qui est plus cruel et moins d'ouvrage.

Kanak creuse, de ses deux belles mains, un lit dans le sable encore tiède. Dans le soleil couchant, ses cheveux sont rouges, comme sa peau, et ainsi, tous ses gestes m'éclaboussent. J'espère qu'il fera froid toute la nuit : comme ça, ensemble, on inventera toute une variation de mouvements destinés à entretenir la chaleur. L'aube nous trouvera fatigués mais saturés d'enthousiasme, remplis de prospérité. Sans doute serons-nous fragiles à la lumière du soleil levant. Alors, on n'aura qu'à sauter à l'eau, qu'à nous lancer dans la rivière, pour reconnaître le temps qu'il fait et l'espace où nous sommes et pour nous apercevoir que tout fut bien vrai de la grande nuit, de nos frémissements, de cette vibration de tendresse continue, de l'absence de frayeur dans nos membres. En se dissipant, la brume du matin nous découvrira un peu le village mais il ne sera quand même qu'un mirage dans la fraîcheur mauve de l'air : flou, lointain, pas impressionnant du tout.

A franchir, ensemble, clandestins mais à ciel ouvert, autant de limites, je crois bien qu'on épatera et qu'on stupéfiera même les bêtes, qui n'auront pas vu souvent deux silhouettes se tenir debout, puis couchées dans la nuit, aussi souples qu'elles, aussi à l'aise qu'elles et obéissant au désir avec la même simplicité. Une pareille nuit où toute douleur, même sous forme de mauvais rêve, semble s'être éclipsée pour de bon, où toute l'absurdité du clan ne rugit plus, une pareille nuit est rare ! Sur toute la grève et pour toute la nuit, il n'y aura que nous deux pour satisfaire ensemble la belle extravagance de nos corps. Car même les bêtes de la forêt ne s'aiment plus après leurs amours. Sur toute la planète, cette nuit, il n'y aura peut-être que nous deux pour oser nier le temps, abolir l'intolérance, réchauffer la vie.

Pendant que l'Indien fait le feu, moi, je fais cette prière :

> Ô nuit qui nous attends
> garde-nous longtemps prisonniers
> de ta durée
> pour que mes membres apprennent
> leurs souvenirs
> avec toute la fougue qu'il faudra.
> Amen.

Sur les vagues du sable, nos deux ombres inégales se mêlent en tremblotant. Les feux follets font pétiller le ciel d'étoiles toutes proches. Ses dents mouillées, sa force, tout son être se penche sur moi et je bascule avec lui dans la tendresse qui n'est ni un néant, ni un septième ciel, mais une orbite dans laquelle, régulièrement et sans cesse, on doit se laisser projeter tout entier, si on veut vivre et y croire.

Au beau milieu de la joie, cette pensée abrupte : je pourrais tuer pour lui !

Elphège Gagnon, Aristide Côté, Maria Lacombe et même sa fille Pauline : ils témoignent tous qu'ils nous ont vus, dans le chemin de la commune, moi sur tes épaules, toi faisant le cheval, au galop entre les pins et tous les deux nus comme des perdus. En un temps record, leur version de notre chevauchée est parvenue jusqu'au clan et sème encore le désordre.

La récolte a bel et bien pourri, abandonnée aux abords du grand champ, comme une vieille carcasse de vache. Je serais la cause directe et très occulte de ce grand malheur. Moi et mon grand sauvage qui, comme chacun sait, est un sorcier de la pire espèce. Dorénavant, si les saisons défaillent, si le feu prend aux granges, si la malédiction s'abat sur leurs toits, ce sera notre faute.

Raison de plus pour que le mois de septembre arrive, que le petit parte pour le séminaire et que l'autre, le sauvage, regagne sa cabane en haut de la côte, pour un très long hiver !

Je suis couché dans l'herbe du verger des Saint-Pierre. Le museau en l'air, les yeux à demi fermés, je laisse couler dans ma tête la lumière et voilà qu'elle circule dans mon sang, qu'elle s'en va dissoudre toute malveillance dans chaque fibre, chaque tissu. Une surabondance envahit toutes mes cellules. Ma façon d'être libre. Ma grandeur à moi, pleine, ronde, habitée par une joie lumineuse. Je communie avec chaque parcelle d'air frais et le tourment déguerpit. La stupéfaction, la rage, le bout du rouleau, tout ça s'enfuit et me désencombre. Je désire tellement commencer à vivre, cesser d'attendre, cesser d'imaginer ! Toujours ce même désir opposé à cette même loi ! Aujourd'hui, comme dans ton ancien temps, grand-père, nous demeurons les plus pauvres, exilés sur notre propre terre. Obligés de consentir à la grande distinction de notre tendresse et à l'immense déception de leur entêtement. Heureusement, même absent, l'Indien demeure, comme un squelette de sang, sous mes paupières. Il représente l'essentiel et le savoureux. Il augmente mes chances, précise mes privilèges. Il est tout ce qu'il y a de beau et de bon pour moi. Sans lui, cet été dernier fuirait comme leur temps à eux, aussi étale que lui, aussi stupide que lui, leur temps annonciateur de rien. Grâce à lui, si je cours, je sens qu'elle est à moi toute cette santé, cette liberté dans mes jambes. A cause de lui, si je ris, je sens qu'il m'appartient ce déferlement saccadé de bonheur dans ma gorge et dans ma poitrine. Si je touche l'herbe, l'ombre rouge de sa main la touche avec moi et notre double paume ouverte accueille chaque sensation avec conscience et ravissement. Sans lui, je ne connaîtrais rien du bleu, du blond, du tiède et du brûlant de la vie. Grâce à lui, le mal et le doute, tous les vieux *mea culpa* s'évanouissent. L'Indien rend mon imagination enfin féconde. C'est-à-dire qu'il la branche sur sa seule exacte utilité : la durée totale et inoubliable de l'instantané ! Le simple fait de sentir l'Indien présent dans chaque pulsation de la grande vie suffit à me faire accepter sereinement : ma solitude sans fin, les intermittences de leur bêtise, et surtout, la grande tristesse de tout ce qui n'est pas advenu et qui aurait dû advenir depuis toujours.

Aujourd'hui, donc, je m'abandonne, serré dans son étreinte et, desserré de son étreinte, je ne songe même pas à m'inquiéter, puisque je le verrai demain, d'une façon ou d'une autre. Mais, absent de lui, que me restera-t-il de notre perfection ? Je n'ai peut-être que treize ans et demi et pourtant, dans l'aubier de ma douleur, comme une amande douce-amère, je la sens déjà contenue, ardente et patiente, la longue phrase que je leur lancerai au visage, quand le temps sera voulu !

En me haussant sur la pointe des pieds, je décroche la plus rouge déjà des petites pommes. La saveur, en éclatant dans ma bouche, a l'intensité du goût de l'Indien.

Je suis à l'âge d'être condamné sans comparaître à mon propre procès. L'accusation : atteinte à la moralité villageoise. Le verdict : coupable. La sentence : tous les après-midis au presbytère, chez le curé, pour apprendre les règles et règlements du séminaire. Et tout ça sans que j'aie pu apercevoir la mine d'un témoin, la tête d'un juge, la face d'un juré. Décrétée par ceux du clan, ma punition est également appliquée par eux, sans autre forme de justice. Seulement le presbytère donne sur le lac. Alors, aisément, je peux fuir le curé, je peux m'évader des yeux et c'est déjà beaucoup. Je peux plonger dehors, sortir de la grande salle trop propre où fleure le parfum de l'encens, cette senteur d'ennui. Mon regard flotte sur l'eau, vole avec les mouettes et, surtout, pêche avec Kanak, sur le quai, leur seule forteresse imprenable. Le quai leur appartient depuis toujours, depuis même avant l'église, du temps où les cargaisons de vivres venaient par bateaux et que les Indiens les déchargeaient. Alors, on les laisse y aller, on évite même de les déranger, on les craint jusque dans leur tranquillité. Je les vois, je les observe, je suis avec eux pendant que le curé me parle de chapelle, de discipline, de classes de latin, de bonne conduite, de chasteté et de tous les vœux que je ne prononcerai jamais, que d'avance je renie comme Satan et ses fameuses pompes. Sur l'eau verte, des frissons courent et je savoure le plaisir de savoir que, dans chaque vague, mille petits êtres sont en liberté. Kanak aujourd'hui est vêtu de noir et, immobile, assis sur le bord du quai, il a l'air d'une statue érigée par les siens en faveur du règne éternel de la fierté et de la ténacité. Également vêtu de noir, mais des pieds à la tête, alors que la grande échancrure dans la chemise de l'Indien laisse paraître sa peau luisante, le curé s'impatiente.

— Tu m'écoutes pas !
— Oui, oui.
— Non ! Tu regardes dehors ! Attends un peu !

Et voilà qu'il me met face à lui, dos à la grande fenêtre. Disparue la silhouette bouleversante de Kanak.

— Tu vas voir que du plomb dans la cervelle, y vont t'en mettre au séminaire mon p'tit gars !

Du plomb, du fer, du titane, tout ce que vous voudrez, monsieur le curé. Ce n'est pas avec la tête qu'on vole mais avec les ailes. Et même en piquant un peu du nez vers le sol, vous saurez me dire si je ne décollerai pas quand même d'un bel élan ! Acharnezvous tant que vous voudrez : quand je ne veux pas entendre, ça n'entre pas. Comme mon grand-père, je possède la force redoutable de l'inertie. Celle du rocher. Celle des glaces du lac qu'avant la débâcle, rien ne peut faire bouger. Tout juste, de temps en temps, un craquement sourd qui décourage les peureux. Je suis heureux en ce moment, même dans votre presbytère, même sous votre noire autorité, parce que les carreaux de la fenêtre derrière vous me le renvoient : serein, multiplié par cinquante, indomptable. En effet, une multitude de Kanak est réfléchie dans vos vitres qui se font miroir à cause du soleil et de ma chance inouïe. Je n'ose pas sourire de peur que vous vous rendiez compte de ce qui fait ma joie, de peur que vous fermiez votre fenêtre pour mettre fin à ma contemplation. Si je me retournais pour regarder l'Indien directement, je sais que vous bondiriez, que vous feriez des vôtres. Mais j'ai l'œil sournois et je n'éveille aucun de vos soupçons. Je n'ai pas seulement la tête dure, monsieur le curé. Je suis surtout très habité et donc très rusé. Vous ignorez encore qu'un obsédé de mon espèce, ça ne se laisse pas distraire par la première grosse toux venue, si sacro-sainte soit-elle ! Il n'y a que le méchant brouillard de votre pipe, s'il venait à s'intensifier, qui pourrait anéantir ma multiple vision. Mais vos paroles, vos gestes, votre courroux n'entament en rien mon privilège gigantesque : cinquante Indiens, toujours le même, brillent dans les carreaux bien lavés de votre fenêtre comme autant de prunelles grandes ouvertes et bienheureusement dilatées !

Vous avez tous raison : je suis obnubilé. Je suis hanté, possédé, plus de place en moi pour autre chose. Et, avec ça, têtu, déroutant, hypocrite, tout ce que vous voudrez. En un mot : habile à vous faire enrager. Nourri des cinquante parcelles d'allégresse cristallisées dans vos vitres et impossibles à repérer pour votre gros œil myope, je peux tenir très longtemps. Je peux faire semblant d'écouter, je peux même faire semblant de comprendre, hocher la tête, agrandir l'œil, avoir tous les symptômes de la curiosité que vous voulez. Lui, dehors, sur le quai, lui, dans votre fenêtre, sa tête au vent, son bras de statue tenant la ligne à pêche et la basculant souplement pour attirer le poisson, lui, monsieur le curé et lui seulement a droit à ma curiosité véritable, celle qui est faite de l'attention concentrée de tous mes sens !

De temps en temps, la bonne du presbytère, Malvina, entre sur la pointe des pieds pour apporter de l'eau, du thé, des gâteaux. N'importe quoi pour me voir, pour avoir la chance de voir de près, mais de biais, l'air de rien, le petit monstre qui, raconte-t-on, va avec l'Indien et qui commet impureté par-dessus impureté. Comme je la sais capable de se rendre compte de mon manège et des images de l'Indien dans la fenêtre, provisoirement, jusqu'à ce qu'elle ressorte, je regarde le curé dans le blanc-gris de ses yeux. Une vieille bonté fatiguée, exaspérée est au fond de son regard. Quelque chose qui a renoncé ou qui s'est durci, une ancienne frénésie achève de s'effacer dans ses prunelles mates. Ses mains tremblent et cherchent continuellement quelque chose à déplacer, replacer, déplacer à nouveau. Quand il se met à parler latin, sûr d'être enfin hermétique, donc seul et libre, il rayonne un petit peu, juste le temps de perdre légèrement le souffle, le temps de sentir sa jeunesse encore vivante quelque part. Au-dessus de sa tête, comme une auréole d'image pieuse, un cercle de lumière oscille, vibre. C'est encore le soleil qui s'amuse. Ou bien peut-être est-ce vrai qu'il est devenu un saint à force de tant renoncer et de tant se dessécher ? Moi, je veux devenir l'opposé d'un saint. Je veux devenir sorcier, clown, fou. Je veux devenir ruisselant, odorant, scandaleusement souple. Je veux surtout continuer d'errer dans la savane avec l'Indien et rencontrer les bêtes, les hommes et les choses dans leur espace et sur leur territoire et dormir parmi leur odeur, leur chaleur, bienheureux. Je veux que l'Indien me précède et me suive, alternativement, dans tous les sentiers de la commune, sur chaque crique, dans chaque anse, chaque baie. Je veux couler, envahir, être envahi, bouillonner, me déverser, geler puis fondre à nouveau mais selon les lois du soleil, des saisons, de la vie et de la mort, et non celles des livres et de votre séminaire. Cher monsieur le curé, je ne veux d'aucune auréole à moins qu'elle ne soit faite de cette lumière réelle, palpable, pulpeuse, émanant de toute beauté terrestre. Parcourus avec lui, la forêt, la montagne et le vaste réseau des lacs et des rivières, comme les chemins sûrs du sang, contiennent toutes les vitamines, tous les remèdes dont j'aurai besoin. Vos phrases sont creuses et, comme des senteurs de brûlé, de gâchis, elles vous suivront à la trace, elles finiront par vous traquer, comme des fantômes de chiens errants ! Comme des morts-vivants, vous n'habiterez plus vos corps, vous serez tout entiers lovés, pelotonnés dans vos cervelles et vous continuerez d'y attendre le Messie, la paix, un miracle qui ne viendra jamais vous délivrer, comme une absolution non accordée, et sans cesse, vous aurez envie, terriblement envie, de plus en plus envie, à mesure que dureront vos tourments et que diminueront les nôtres, vous aurez éperdûment envie de briser votre coquille stérile, de sortir de votre réserve d'abstractions et de prières pour venir jouer ici, comme nous jouons aujourd'hui, l'Indien et moi, à ciel ouvert, oui, vous brûlerez interminablement du désir incendiaire de recouvrer votre innocence et il sera trop tard ! Martyrisés par le retour équitable de vos anciennes tyrannies, de vos aveuglements ancestraux, vous vous traînerez dans un espace nouveau, méconnaissable, notre espace retrouvé, nos forêts replantées, rejailllies, infiniment belles et pleines de pièges pour vous, et, sans la connaissance primitive, entièrement reconquise par nous, vous périrez à la moindre crevasse dans le sol sablonneux, vous chavirerez, vous basculerez dans le vide et, douloureusement, comme sur le tableau hideux de la sacristie, la grande scène du jugement dernier, l'éternité que vous anticipez si mal, vous aurez pleine conscience de votre abominable et irréparable retard, de l'immense mensonge de vos vies, celui qui, au commencement, quand tout était encore faisable, envisageable, vous a poussé à éliminer les sauvages, à les bannir, à les enfermer loin de la prairie verte et nourricière, vous serez alors sans secours, abandonnés à la voracité des bêtes préhistoriques ressuscitées, vous serez dans l'enfer, le vrai, l'enfer du remords et...

Grand-père, arrête-moi ! Aide-moi à couper le courant ! Il faut que cesse, dans ma tête, la musique trop précipitée de la prophétie ! Il faut attendre ! Il ne faut pas que j'éclate tout de suite, que je perde l'inertie, il ne faut pas dévoiler trop tôt la suite ! Découverte, vulnérabilisée, notre intention désembusquée pourrait tout faire échouer !

— T'as des yeux méchants, toi ! Y va falloir te dompter et au plus vite !

Enfin, le curé me chasse. Dans au moins vingt-cinq carreaux de la grande fenêtre, Kanak s'est levé et il me fixe. Ce qu'il veut me dire ? Nous sommes à la fois trop forts et trop faibles pour jouer avec eux, franchement, tout de suite et selon leur bon vouloir, le jeu de la parole.

Dehors, à la porte de l'église, sur le parvis, Kanak m'attend. Dans la lumière de la fin d'après-midi, il incarne la plus rutilante, la plus douce et la plus dangereuse des provocations. Mais, si génialement innombrable qu'il ait été, tout à l'heure, dans la fenêtre du presbytère, à présent, entier, tout proche, il est encore plus beau, puisqu'il est touchable.

On garde notre souffle le plus longtemps possible sous l'eau. Les grosses carpes n'en reviennent pas de nous voir. Les cheveux de l'Indien font la méduse. Dans la transparence glauque on se regarde, et si on se met à rire, des centaines de petites bulles hypnotisantes naissent de nos bouches et vont porter notre joie à la surface. On rase le fond, les herbes qui donnent vie aux rochers : sans pesanteur, dans l'eau, on est si bien ! Une kyrielle de ménés détale devant nous, ils ne savent plus où aller, comment nous éviter. Avec ses dents, Kanak arrache une algue au ciment du quai, il me la glisse au cou. Et c'est la fin de ma respiration à moi. Je me remets à la verticale et je plonge, mais vers le haut, vers la lumière. Parvenu à la surface, l'air qui rentre dans mes poumons est si froid, si brûlant, que je perds tout à fait le nord, l'intensité d'une seconde et le soleil en profite pour m'éblouir, comme un météore qui viendrait me frôler. Je fais la planche, la face dans la lumière, et je l'attends. L'Indien dure beaucoup .plus longtemps que moi. Nu, balancé par les vagues, mon corps n'est plus le même. Mon corps a tellement changé ! Il s'est délié, il a vieilli, mon corps, il s'est assoupli, il est docile maintenant. Il n'est plus un étranger. Il a ses îles, ses rivages à lui, mais il m'appartient davantage. Il possédait tant de secrets, mon corps, qu'il gardait captifs comme des trésors naufragés. L'Indien a mis mon corps au monde. Aujourd'hui mon corps est entier et entièrement à moi, à mon désir, à ma joie. Et ma peau luit davantage, dorée, huilée, heureuse. Mes épaules, mon cou où brille l'algue noire, comme un collier, oui, je sens toute ma force m'appartenir enfin !

L'Indien émerge, toujours avec son même cri. Le halo de perles d'eau autour de sa tête a les couleurs de l'arc-en-ciel. Je nage à toute vitesse, mon élan est bon, je fonce sur l'Indien qui se fait tronc d'arbre pour me résister et je plonge et replonge, luttant avec lui dans l'eau jusqu'au coucher du soleil.

Sur la dame de roches du presbytère, le curé nous observe en se grattant le crâne.

N'y a-t-il donc pas d'autres blessures, des malheurs plus grands, de réelles tragédies pour les occuper ? Ailleurs, pas si loin, on meurt presque de faim. Quelque part, à côté, des ventres se gonflent de vide, d'air, de peur et, après tant d'ignorance, on ne pense plus qu'à moi, à mon crime, à ma désobéissance.

Je me fais tout petit dans le grenier, sur la chaise de mort de grand-père. Pour que leur attention se porte ailleurs. Je ne suis décidément pas de taille. Pourquoi tant de considération, tant de curiosité, tant d'intolérance ? Leur bonne volonté, si elle existe, si elle a ses racines quelque part, devrait être tout entière occupée de la misère, la vraie, celle des Trottier, celle des Dufresne, celle qui crie, celle qui hurle alors que moi, je ne fais que murmurer, turluter en cherchant un puits, une source. Oh ! comme je comprends l'Indien quand il dit : « La parole est pour eux un cadeau empoisonné. »

A gauche, la statue de l'archange Saint-Michel qui écrase, de ses deux pieds immenses comme des queues de castor, le diable-serpent et qui prend, sans cesse et sans succès, son élan pour lui enfoncer sa lance dans la gorge. A droite, la statue de la Sainte Mère avec son fils troué, saignant, répandu sur ses genoux, verdi par la crucifixion récente. Au centre, dans le sanctuaire, l'autel sculpté, verni, immense et luisant, plus attifé de voiles blanches que le gros bateau de Christophe Colomb quand il partit pour nous découvrir. Je dois apprendre à servir et la première chose à servir, c'est la messe. Veille à gauche et veille à droite et tiens bien le grand cierge brûlant et déplace le gros missel pesant et génuflexion ici et signe de croix là et attention surtout, quand tu verses le vin, pour ne pas trop lui en donner, il est déjà assez étourdi comme ça, notre curé ! C'est toujours la même chose et c'est toujours aussi compliqué. Je me demande ce qu'ils y comprennent, ce que ça vient faire ici, aujourd'hui et encore dimanche prochain, comme dimanche dernier, cette cérémonie vide, scrupuleuse, insensée et surtout, comment elle a survécu quand toute survivance est si difficile ? Le pire, c'est que ma mémoire, ici, me trahit. Elle fonctionne trop bien. Malgré moi, j'enregistre tous les mots, toutes les formules, les répons en latin, toute cette mécanique déconcertante devient vite un automatisme. Sans comprendre le sens des mots *Deo gratias, et cum spiritu tuo,* je répète, je fais l'affaire, je suis parfait. Avec une mémoire comme la mienne, on est tranquille : sans faire d'efforts, on leur paraît doué, intelligent, appliqué.

De temps en temps, je me retourne pour voir s'ils sont encore là, tous, s'ils ne dorment pas et je les vois, en masse, pareils, chaudement recroquevillés, absents. Ils aiment le spectacle tel quel : lent, embrouillé, mystérieusement tranquillisant. Après les foins durs, après le train des vaches dans l'aube piquante, après l'ouvrage éreintant et l'accablement quotidien des malheurs qui n'en finissent pas quand on est si pauvres et si ignorants, l'église, sa quiétude, l'orgue ronronnant, la messe tout en simagrées réglées d'avance avec le monsieur des effets spéciaux, tout cela est bien calmant. Leur cri, en dedans, leur révolte, la misère, se laissent étouffer par l'atmosphère ouateuse, par cette ondée de musique céleste et ils sont aux anges. Ils ne songent plus alors à l'injustice, à la douleur, à l'inutilité. De tous les tuyaux de l'orgue sortent les sons de la miséricorde, de l'espérance et de la charité et, tranquillement, toute cette giboulée d'oubli, en coulant sur eux, vient ensevelir, désendolorir, effacer les péchés du monde, ceux, surtout, de tout-un-chacun, les péchés commis au fond des granges et les péchés seulement envisagés, pensés, projetés, les pires, les jalousies, la rancœur, la haine, la peur, l'hypocrisie et tout le tralala courant, commun, la fatalité revêche de la vie de village. Ils me regardent, ils me voient : c'est incroyable comme, depuis quelque temps, je suis intéressant. Surtout dans ce déguisement de dentelles et de velours, il n'y a pas à dire, je suis un petit sacrilège fort élégant. Je les regarde, je les vois et je suis effrayé de ne rien sentir. La pitié, cette tendresse molle, ne m'étreint nulle part. Ti-Ronge Lauzon me fixe comme s'il cherchait sur mon corps, sous la soutane, le point le plus faible où frapper. Lui et quelques autres, Laurent Messier, le grand Lacombe, ils ont juré de me faire passer par là. Pour une fois, la cérémonie, ils la suivent avec grand intérêt : une proie rouge et blanche, avec frissons de guipures, évolue dans le sanctuaire et les excite. A mesure que la grand-messe avance, qu'elle se déplie, se déploie, dans la nef, les fidèles n'ont d'yeux que pour moi. Mes nerfs tirent, fatiguent, mes nerfs se gonflent ; dans chaque muscle, mes nerfs se boursouflent. Ma tête est soudain remplie, jusqu'à presque éclater, de tous ces sons que je découvre terrifiants à mesure que je les prononce avec eux, en même temps qu'eux, une sorte de chœur désarticulé, mou, en cadence pourtant, comme un troupeau qui bêle, qui se lamente et mon mal de cœur d'encens, mon mal de cœur de toutes ces fleurs, ces glaieuls, ces lys, ces quatre-saisons, ces bouquets en gerbe devant chaque masque funéraire, les éclairs de tous ces regards, Ti-Ronge qui me montre son poing, Messier qui sourit, sa gueule en coin, mon mal de cœur fait gicler une salive de plus en plus amère sous ma langue, mon mal de cœur fait s'épaissir le sang dans ma nuque, mon mal de cœur soudain saisit la clochette et la secoue, la secoue, la secoue à toute volée, plus fort, plus sonnante ma clochette que la grosse cloche du clocher et que ça résonne et que ça réveille et que ça délivre !

Dans le brouillard, les murmures vont bon train. Je n'ai soudain pas du tout envie de revenir à moi. Demeurer pour toujours dans les limbes reposantes où je suis tombé, où je suis couché, où je désire dormir encore quelques secondes, reposer quelques siècles, et où, peut-être, un jour, je croiserai grand-père, pour jaser, pour rêver, ne plus jamais avoir à me lever, à me tenir droit, à leur tenir tête au péril de ma vie, contre cierges et saints, envers et contre l'Indien, le latin, vierge et séminaire, *ave* et *oremus, ite missa est* et, surtout, surtout, laissez-moi tranquille !!!

Quand j'ouvre les yeux, dans les premiers scintillements de lumière entre mes cils, c'est encore lui que je vois. Au jubé, près de l'orgue, l'Indien est là qui me fait signe.

Aurais-je déjà commencé à ne voir que son fantôme ? Ce n'était pas l'Indien dans le jubé, près de l'orgue. Ce n'était que son image, son image seulement. Si bien qu'ils m'ont attrapé à la sortie de la grand-messe. Ti-Ronge, Messier, le grand Lacombe. Sous le marronnier, ils m'ont couché par terre et ils frappent et ils crient, ils ne s'arrêteront pas avant que du sang apparaisse ! Des genoux, des pieds, des poings et une noirceur de plus en plus violette sous mes paupières. Et une douleur diffuse, presque irréelle dans tout mon corps, comme la naissance d'une fièvre.

— Y t'a pas montré à te battre, ton Sauvage ?

— A part te poigner le cul, y t'a pas montré grand chose hein ?

— Y suces-tu ben au moins ?

— Ken ! Ça c'est pour que tu te souviennes de moé au séminaire !

— Pis ça, c'est pour lui ! Tu y donneras ce coup de pied-là dans les gosses à ma santé, hostie !

Ils vont s'arrêter, c'est sûr ! Il ne me reste plus d'endroits sur tout le corps où ils n'ont pas frappé. Et ça ne fait pas mal comme ils voudraient. Ce qui fait mal leur échappe. Ce qui fait vraiment mal, ils ne connaissent pas où le trouver pour le détruire. Ce qui fait mal c'est le dégoût qui naît partout à la fois dans mes cellules, dans mes membres. Ce qui fait mal, c'est que je le savais, c'est qu'ils se comportent exactement, scrupuleusement comme il fallait s'y attendre. Ce qui fait mal, c'est cette atroce banalité de leur haine, si semblable à ce qu'elle a toujours été dans l'histoire, dans les siècles, dans le village.

Ils ont déguerpi à l'approche de mon père. Tout ce qu'il trouve à me dire, celui-là, n'est pas fait pour m'aider à me relever.

— T'as tout fait pour, pauvre ti-gars !

Il me reste assez de force pour courir, même avec cette souffrance qui cogne dans mes côtes.

Ma santé, maintenant, les intéresse au plus haut point. Elle leur redonne de l'enthousiasme. Après tout, il s'agit encore de leur santé. Elle leur appartient toujours, ma santé. Je ne suis qu'une conjoncture issue de leur sang, de sa pauvreté, de sa carence en vitamines « R », R pour Respect. Le docteur promène son instrument froid sur ma peau, sur mon ventre,

dans mon dos. Il me demande de tousser. Et si je
tempêtais, si je crachais du sang ? Si je leur claquais
entre les mains ? Soudain j'ai terriblement envie du
drame, du tragique, du salon mortuaire, de la paix !
Comme il me serait doux de survoler, de mes deux
ailes de jeune ange fougueux, mon propre convoi
funèbre, oui, comme je serais léger dans l'air du mois
de septembre, léger de leur avoir échappé et pour la
très longue éternité ! S'il n'y avait pas l'Indien qui
m'attend sur la butte du Bria, s'il n'y avait pas toute la
vie promise, ma liberté plus tard, plus loin, le temps
voulu, je leur ferais le cadeau de cette peine magnifi-
que : je mourrais.

Mais ils ne perdent rien pour attendre. Au détour
d'un très futur printemps, je serai devenu cet ange
doux et sauvage. Du haut du ciel, planant dans le bel
azur de l'indifférence, heureux, je ne les reconnaîtrai
même pas sous moi, minuscules comme sont les
mulots sous le vol du faucon, les chenilles sous le vol
de la crécelle, les moutons des vagues sous le vol libre
des mouettes !

Tout ce qui me reste de leurs pieds, de leurs poings partout sur moi, c'est quelques contusions. Et quelques contusions n'empêchent pas de marcher, de courir, de venir le rejoindre.

Ouna, la tête renversée, regarde le ciel. Elle ne compte pas les étoiles, elle ne les groupe pas en constellations, elle n'étudie pas la voie lactée, elle n'interroge pas les astres. Ouna prend tout simplement un bain de firmament. Elle respire profondément. Elle accueille en elle la vastitude de la voûte céleste et ses scintillements. Elle accepte sa condition, sa place. Elle s'oriente. Elle se resitue dans l'univers, elle regagne sa force, son énergie.

Kanak, lui, masse l'enfant, assis par terre, sur les aiguilles de pin. Son visage est grave mais, dès qu'il lève la tête, s'il vient à sourire, quelque chose en moi, comme à chaque fois qu'il sourit, quelque chose en moi s'envole, incroyable et léger. Je ne sais pas si c'est parce que l'été s'achève, ou parce que je sens que je ne pourrai plus leur échapper maintenant mais je repense au premier soir, à la veille de la Fête-Dieu, ici, sur la butte du Bria. Le soir de ma véritable naissance, nuit si belle que je l'appelle encore la grande nuit de ma nativité.

Ouna se lève et s'étire. Elle vient reprendre son enfant. Appuyée contre le chêne, elle le nourrit. Sur son sein droit, une perle de lait étincelle, soudaine comme une étoile. Kanak se lève aussi et il me regarde. Puis il s'enfonce dans le bois. Bien sûr, je le suis. Je ne sais pas pourquoi mais je me prépare, je fais de la place en moi pour ce qui va suivre. Mystère, changement, une autre nuit du Bria, une autre révélation, peut-être ? Un nouveau passage ?

Près du grand trou de sable, il s'arrête. On dirait que la lumière verte qui détaille le corps de l'Indien émane des ramures du grand pin, au bord du précipice. Kanak s'assoit, les pieds dans le vide, le torse et la tête contre le tronc de l'arbre. Je m'assois aussi, tout près, mais quand même à distance parce que, ce soir, tout est inusité, étrange, différent. Il ne me prendra pas, il ne me serrera pas contre lui. Il a l'air circonspect, sérieux, cérémonieux même. Je le regarde et je ne devine de lui que ceci : il est inquiet. Soudain, pour la première fois, je sais qu'il souffre aussi. Il a mal pour moi. Mal pour moi et mal pour les autres. Mal comme une maladie, comme une fièvre, comme une injustice. Je ne lui avais encore jamais vu cette buée dans les yeux, cette naissance des larmes et j'ai le cœur qui étouffe dans sa cage.

— *What's wrong with us ?*

Doucement, trop doucement ces mots-là sont venus. Le silence qui les suit, comme celui qui les a précédés, est fait de millions d'aiguilles de pin douloureuses et voilà qu'elles s'enfoncent dans nos chairs, sans nous arracher un cri, une plainte. Il a dit « *with us* » et non « *with them* ». Si le doute vient à lui faire mal, à lui, c'est signe qu'il peut me tuer, moi, et sur le coup. Et nous ne hurlons pas. Comme pour le loup, comme pour le huard, comme aussi pour la chouette, le feulement ne jaillit plus quand la rage s'est éteinte et qu'il ne reste plus qu'un vague désespoir pour gonfler la gorge, comme pour un trop grand soupir impossible à soupirer. Notre douleur, comme celle des bêtes meurtries, infiniment seules, proches d'une certaine mort, notre douleur se tait. C'est mieux et c'est pire à la fois. La peine, comme une joie trop brûlante, s'est allumée toute seule et continue de se consumer dans nos cœurs, sans nous, sans notre consentement. La tristesse est comme un asthme piquant : elle vient étouffer à mesure chaque reprise du souffle. Pris ensemble dans une étreinte trop forte, une étreinte formée d'autres bras, des bras plus longs, plus violents que les nôtres, on ne respire plus, on attend. On attend que toutes les étoiles filent, on attend que le pin se mette à parler et qu'il soit clair comme un oracle, on attend que le hibou se taise, on attend que le précipice à nos pieds s'agrandisse, s'allonge, qu'il engloutisse enfin le village, toutes ses maisons, l'église, toute leur méchanceté dans le vide immense à nos pieds. On attend surtout que le temps passe, que l'histoire vire de bord, qu'elle consente enfin à s'organiser en faveur du désir et de son assouvissement. Bref, on attend l'impossible, nos deux corps pendant à moitié dans le vide, à moitié fous, à moitié morts de chagrin. Il pleure ? Kanak pleure ? Comme les tiens, grand-père, ses sanglots datent de très longtemps, de leur premier coup de fusil, de mousquet, de leur première violence sans raison. C'est trop toute cette accumulation de souffrances, cette perte irréparable du grand équilibre, cette mort lente et sans dignité. Elle est intolérable mais bien réelle, puisqu'elle resurgit encore cette nuit, cette férocité sourde, aveugle, démentielle. Leur impatience, leur entêtement à vouloir un futur sans tendresse ni passion, leur folie nous condamne-t-elle pour toujours à errer, comme des lueurs d'âmes, au-dessus de nos prairies saccagées, sur les trottoirs de leurs villes laides, sur le ciment glacé, rapeux de leurs murs ? Leur morale, notre supposée amoralité, leur peur, notre impuissance, notre provocante simplicité, leur haine, comment tout cela a-t-il commencé ? Comment se fait-il qu'on aboutisse encore, cette nuit, au bord du même abîme, du grand trou millénaire et toujours béant, vertigineux ? Pourquoi, en cette nuit du vingt-neuf août 1959, nuit sombre, nuit des temps, se retrouve-t-on encore, l'Indien et moi, au bord du profond précipice de l'incompréhension ? Tout est changement et nous avons changé, mais non pas pour le meilleur. Oui, ils ont choisi le pire. Ils ont choisi le meurtre tranquille, la progression lente de l'anéantissement. Et la disparition graduelle de notre espèce, comme celle des bêtes sauvages, inoffensives, n'alarme aucun d'entre eux. Chacun, dans sa maison neuve, continue d'élaborer une sorte de fin du monde sur la musique d'un roulement de tambour qui résonne depuis des siècles. Oui, nous avons eu tort de nous montrer contents et confiants comme des poneys fous à l'approche du printemps, de nous être laissés aller à croire que ça s'arrêterait aussi brusquement, aussi bêtement que ça avait commencé, puisque nous n'avons pas commencé, puisque c'est vous qui avez commencé, qui avez tiré les premiers, puisque nous n'avons fait que nous défendre, comme les bisons mâles qui n'attaquaient, vous ne vous en souvenez pas, que pour défendre leurs femelles, nous n'avons envoyé que le deuxième soldat, le premier, arrogant, armé jusqu'aux gencives, c'est de votre camp qu'il venait quand il a jailli dans notre plaine avec un cri plus terrifiant que toutes nos voix ensemble ! Soudain, il y a eu ce bruit d'orage, ce fracas d'épouvante et l'incompréhension de ce massacre dure encore et vient à nouveau nous ensorceler cette nuit, l'Indien et moi, assis au bord du trou de sable, comme deux oiseaux chassés, repoussés à l'orée de leur ancienne légende. Et pourtant, tu connais chaque ruisseau, chaque espèce d'arbre, chaque source. Tout ici t'appartient, non pas en vertu de la loi de la possession mais en vertu de la loi de la connaissance et du respect. Et pourtant, je connais chaque maison, chaque banc d'église, chaque voiture rouillée. Tout cela m'appartient, non pas en vertu de la loi de la connaissance et du respect mais en vertu de la loi de la possession. Et malgré cela, nos deux solitudes se sont tant et si bien enchevêtrées, que c'est à nous qu'elle parvient, cette nuit, comme une épave, cette douloureuse conscience du malentendu, c'est sur notre plage qu'elle est venue s'échouer, dans l'espoir fatigué d'une réconciliation. Je veux bien, avec toi, relever ce défi, cette chose presque impossible, mais le doute, Kanak, le doute, s'il s'empare de toi, s'il remplit le silence entre nous, s'il grandit dans le ciel de la nuit jusqu'à le faire pâlir, ton doute, Kanak, m'empêchera ! Tout seul, perdu parmi leurs croyances têtues, mêlé à leurs complexités, offert à leurs pièges, tout seul, jamais je n'y arriverai !

Il me regarde. Il me fixe. Hypnotique, son regard n'est plus deux yeux, mais un seul œil mouillé et qui me transperce. Et je comprends tout. Je ne sais pas comment mais je comprends soudain que tout m'est destiné de cette sorcellerie. Je comprends que c'est pour moi, en vue de mes futurs stratagèmes, pour la réussite de mon combat à venir que l'Indien a volontairement semé le doute. Pour vérifier mon endurance éventuelle, ma confiance dans ce tourment génial, libérateur, ma foi en ce pouvoir réel, définitif et définitivement en ma possession maintenant. Pour que je me sache solide, à toute épreuve, capable de traverser le désert de leur stérilité sans me dessécher. Je perçois, en un vif éclair qui dure une seconde ou toute la nuit, je ne sais plus, je perçois avec clarté le plan, la carte et la belle aventure. Je ne peux pas être né, ici même, au commencement de cet été dernier, sur la butte du Bria, pour si vite m'éteindre sans avoir accompli ce que, de tout temps, je dois accomplir. Dans la vibration lumineuse qui circule intensément, aller-retour et sans répit, entre sa conscience et la mienne, entre son énergie et la mienne, passe tout le jus de la connaissance. Je ne suis plus un apprenti-sorcier. Désormais, je suis propriétaire pour toujours et aussi gardien farouche de ma propre et magique vérité. La transition, au bord du grand précipice, vient d'avoir lieu : le passage de sa foi en la mienne. Contrairement à eux tous, tu vivras dorénavant et à ta guise, dans un lieu où le soleil, la beauté, le désir ne feront pas que passer. Tu seras capable, rien qu'en tendant les mains, de recueillir sans cesse la fraîcheur ou la chaleur sans que leurs mystérieuses insignifiances t'endolorissent. Tu pourras, malgré leurs interdits, tel un cheval adulte, prendre une route et la suivre jusqu'au bout. Le bison, le wapiti, bientôt le caribou et aussi quelques-uns de ma race, on disparaît tous à cause de l'absence de la conscience. Mais maintenant, en toi comme en moi, dans la suite du sang, après tant de mauvais temps, et malgré la longue expérience de l'humiliation, la' témérité coule, la persévérance circule, le chemin est libre. Pour se reposer dans son parcours, l'oiseau s'arrête. Tu n'as fait que t'arrêter au sein du clan. Bientôt, entre les murs de l'enceinte, du séminaire, toutes les heures difficiles ne seront encore qu'un simple temps d'arrêt avant la plus longue, la plus belle migration. Comme le soleil dans le ciel s'arrête à midi pour donner une chance aux,graines de tiger. Comme le voyageur s'arrête pour reprendre son souffle. Comme le vent s'arrête pour reprendre de plus belle : rafale, bourrasque, tempête. Oui, tout cela est contenu, vibrant, farouche dans le regard de l'Indien puis dans le mien, puis dans ma tête et, enfin, sur ma peau qui frissonne cette nuit de frissons neufs, généreux jusqu'au tremblement. Ce grand silence du devoir inévitable, chacun doit l'affronter seul. Il n'est plus question de prières, d'église, de septième jour agenouillé : le temps de l'humiliation est terminé, je te le répète. Il s'agit maintenant des mots, de la parole. Tu dois apprendre, toi qui les possèdes déjà, à manipuler les mots comme des outils, ou mieux, comme des armes. Voilà le sens de la prophétie, ta voie, ta contribution au grand trésor de notre survie. Comme l'homme rouge s'arrête devant l'arche étincelante de l'arc-en-ciel, en face de la cascade blanche dans la gorge verte du rocher, devant toute éclatante beauté, tu prendras plume et papier et tu laisseras ta mémoire travailler, fouiller le monde afin d'exhumer tout à fait l'ancien rêve pour qu'ils l'aperçoivent et le reconnaissent enfin. Maintenant, tu dois savoir « what is wrong with us ». C'est le silence avant le temps voulu. La grande difficulté, le piège. Ta seule condamnation, ta seule misère : te taire quand ce n'est pas le temps voulu. Demeurer sourd aussi. Tu te boucheras les oreilles pour que ce silence s'installe bien, pour ne pas signer de faux traités, pour ne pas abdiquer, pour attendre le temps voulu. Parce que l'ennui, le malheur avec eux, c'est qu'ils n'écoutent pas. Il te faudra donc un si grand pouvoir de silence et de surdité que la solitude te sera aussi nécessaire, plus nécessaire même que notre tendresse d'aujourd'hui et cette solitude durera, elle aussi, jusqu'au temps voulu.

La barre du jour est apparue. La nuit a passé. Au plus profond, tout a opéré comme il fallait. Si je triomphe ce matin, c'est avec fébrilité. On ne s'est rien dit mais en chacun, ça bataillait, ça résistait, ça décidait. Si bien que, lorsque la première poussée rouge du soleil est apparue sur le visage d'Ouna près de nous, portant son enfant sur son dos, l'espoir, qui a déjà fait et qui peut faire encore beaucoup de nuits blanches, l'espoir dans le regard de l'enfant, dans celui de l'Indien, l'espoir malgré ma fatigue, après une telle veillée d'armes, l'espoir, avec l'orgueil spontané d'un rescapé, était enfin devenu une certitude.

A profusion dans le ciel, les outardes, en longs vols d'adieu, passent et repassent. Avec elles, l'été finit. L'été s'enfuit avec leurs cris rauques, leurs derniers tours et détours, leurs voltiges fous, perdus, au-dessus du lac, comme une misère à partir. Les saules ont de la rouille à chaque feuille, les mûriers de la mousse à leurs branches, leurs épines ne sont plus des pièges, visibles de partout, les groseilles éclatent déjà, perdant leur saveur sous le bec des jaseurs roux. Tous les fameux symptômes sont apparus un à un. D'abord dans les feuillages, puis sur le poil des bêtes, puis au fond de l'horizon.

Pinceau, mon chien, que j'ai fui, comme j'ai fui tout l'été ceux du clan, et qui m'en veut de cette méprise, est revenu ce matin avec, dans sa gueule, le corps vert et luisant d'un malard de l'année, sans doute abattu par Nazaire au beau milieu de son envol maladroit, naïf, enjoué. Oui, Nazaire braconne dans le marais depuis plusieurs jours. A bien regarder le ciel en plafond bas, ce matin, on pourrait presque murmurer, à voix basse, sur le souffle, comme on fait pour un secret vilain : il va neiger. On sent tout cela venir, on le sait et, même si on s'y attendait, même si c'était inévitable, même si c'était pour d'un jour à l'autre, il est là, subitement, frissonnant sur toute notre peau, transperçant , réel : l'automne.

Ça brûle, ça flambe, ça fait un joyeux bûcher ! Devant chez Lauzon, là où le reposoir était monté pour la Fête-Dieu, l'homme de paille, l'homme bleu, Duplessis le conservateur est incendié. Il grésille et éclaire les faces grimaçantes, tordues, les visages heureux des villageois. On l'a d'abord traîné, derrière le cheval des Saint-Pierre, dans la grande rue du village puis dans les rangs de la commune, puis sur le chemin de la rivière, balançant au bout de sa corde comme un pendu. On entendait leurs cris jusqu'au fond de la baie. Et on voyait les feux de leurs torches grimper la grande côte dans le crépuscule, comme une procession macabre. Sans broncher, sans rien dire, on les regarde passer maintenant, l'Indien et moi, tapis dans l'ombre du Bria. On reconnaît chaque visage, chaque hurlement. Ils ont même mis le feu, en passant, aux branches basses des ormes où, hier encore, s'accrochaient les enfants, comme des poupées de carnaval. Rien ne les arrêtera : « Y faut que ça change ! »

Tout d'un coup, sans qu'on le voie, sans qu'on

l'entende venir, le grand Paul Leclerc, à cheval, sa torche devant le visage comme un cavalier diabolique, est apparu dans notre dos.

— Tu te laveras comme faut avant de partir pour le séminaire, ti-gars ! tu dois puer en Jésus-Christ, vu que t'as passé l'été collé sus c'te maudit sauvage sale là !

En prenant bien son élan, il lance sa torche à nos pieds puis il disparaît dans la grande côte en fouettant son cheval comme un enragé. L'Indien réussit très vite à éteindre l'incendie qui ne fait pas long feu dans les aiguilles de pin.

Tant qu'ils ne nous traîneront pas, toi et moi, enlacés et pendus, de par les rues du village, qu'ils crient, qu'ils incendient les épouvantails, qu'ils hurlent à la lune : « y faut que ça change ! » Nous, on ne peut plus nous faire de mal : on se quitte, l'Indien et moi, demain et pour tout le temps voulu.

Il se met à pleuvoir. Une pluie d'automne, froide, mauvaise. Alors, l'Indien fait une tente de nos deux coupe-vent réunis. Sous la tente, Kanak sort son couteau et, saisissant mon poignet, il y trace une ligne très fine où le sang vient perler. La même chose sur son poignet à lui. Puis il attache nos deux bras ensemble avec une corde. On reste comme ça longtemps. Presque toute la nuit. En tout cas, jusqu'à ce que l'homme bleu soit entièrement consumé au bout de sa corde.

Le camion ronronne, chargé de la grosse valise. Le camion attend. Il faut partir avant la noirceur parce que le camion peut casser, flancher. Remplacer le camion ? Impensable, coûte trop cher, besoin de tout l'argent pour les études du petit. Le camion, faut qu'il tienne, qu'il fasse le grand voyage, qu'il dure l'hiver. Le camion tousse, hésite, démarre. Rien à faire : le maudit camion est solide, pas tuable, il me rendra à destination, c'est sûr.

Dans le fond de la baie, ça tire, ça fait feu sur tous les canards qui passent. C'est l'ouverture officielle de la chasse, alors ils sont des centaines à viser le ciel, à abattre les sarcelles, les siffleurs, les outardes et aussi quelques mauves qui volent trop bas.

Ils n'ont pas eu besoin de me chercher, de fouiller la remise, le grenier, de faire tous ces efforts qu'ils anticipaient. Je suis là. Je suis prêt. Je suis même, des pieds à la tête, habillé du petit costume réglementaire. Je suis là et je n'y suis pas. Je n'y serai jamais plus, surtout. Jamais plus ils ne me reverront. Fini, le clan. Finie, la maison. Finis le grenier, ta chaise de mort, grand-père, finie la remise, fini le potager, fini tout ça !

Évidemment, ils s'énervent : ai-je ci, ai-je ça ? Et le sac à souliers ? Et la brosse à butin ? Et l'argent pour les livres ? Et le missel ? Et la tête sur les épaules ? Et le cœur bien à l'envers, dans l'eau, bien mortifié ?

Je suis monté dans le camion. Entouré de mon frère et de mon père, je tiens bon. Ils ont l'air plus perdus que moi. Ils ont raison : ils me perdent alors que moi, je les fuis pour de bon. Il décolle, le maudit camion. Le voilà qui s'engage dans le chemin de la commune ? Pourquoi ?

— Faut que je prenne la roue à Raoul ! En cas !

Il fallait donc que je te revoie ? Il fallait donc traverser encore une fois le bois de pins, le Bria, souffrir une dernière fois de cette vision de l'été mort, saccagé, fini ? Une dernière fois, alors que tout était enfin calmé, enfin éteint le volcan de la rupture, presque guérie la déchirure de partir pour le temps voulu ! Au moins, que tu ne sois pas là, au bord du chemin, quand on virera pour prendre la route d'asphalte, comme une apparition, ton bras levé, tendu, ta silhouette infiniment triste à l'orée du bois de la commune !

Non. Tu es resté dans ta cabane. Ta petite cheminée fume sans me lancer de signaux. Tu ne sortiras pas. Je ne te surprendrai pas dans cette pose banale, facile, prévisible. Déjà, elle n'est presque plus rien, ta cabane, dans le miroir du camion. Presque plus rien non plus, la butte du Bria. Presque plus rien, la commune. Presque plus rien le village, la montagne, la grande baie.

Le camion s'arrête. Ils descendent. Ils vont chercher la roue. Ils sont entrés dans le hangar de Raoul. Je pourrais m'enfuir, revenir vers toi, empêcher la suite ! Non. Je tourne tout simplement le bouton de la vieille radio du camion. Mécaniquement, sans savoir d'où vient ce goût de savoir. Ça grince, ça pétille dans le haut-parleur et, finalement, j'entends :

— ... est décédé, cet après-midi, dans sa résidence de Shefferville. Monsieur Duplessis était âgé de...

Raoul crie, saute, fait tous les temps autour du camion. Puis il s'arrête et me fixe.

— You-hou, ti-gars ! Y faut que ça change !

Moi, je regarde la petite cicatrice rose à mon poignet et le camion s'engage sur la grande route.

IMPRIMERIE HÉRISSEY, ÉVREUX.
D.L. 3ᵉ TR. 1982 Nᵒ 6246 (29990).